Folksongs of our Forefathers
in
Russia, America and Canada

LIEDER DER SCHWARZMEERDEUTSCHEN

Collected and edited

by

Joseph S. Height

Impendere vitae veritatem

THE NORTH DAKOTA HISTORICAL SOCIETY
OF GERMANS FROM RUSSIA•BISMARCK, N.D.

BY THE SAME AUTHOR

The Gold of Goethe
Paradise on the Steppe
Homesteaders on the Steppe
Die Muddersproch der Kutschurganer,
    Beresaner u. Liebentaler
History of the Mannheim Heidt Kinship

Translated works:

The German Russians
The German Emigration to Russia
The Pioneer History of the Stang Kinship

Dedicated

to the German-Russian folksingers

whose cherished songs

delighted the hearts of young and old

✿✿✿

Eins hab ich mir erhalten
Allezeit im fremden Land,
Das will ich gut verwalten
Als treues Heimatspfand.

Ich kann's nicht sichtbar tragen,
Doch fühl ich's im Gemüt:
Es ist, ich will's euch sagen,
Das liebe deutsche Lied.

Was du ererbt von deinen Vätern hast,
Erwirb es, um es zu besitzen.
                              —GOETHE

VORWORT

Die hier vorliegende Liedersammlung aus dem Liedgut der Schwarzmeerdeutschen umfasst zwei Hauptteile. Der erste und grössere Teil enthält hundert Volkslieder, die in den südrussischen Kolonien bekannt waren und über 120 Jahre gepflegt wurden. Im zweiten Teil sind weitere 50 Volkslieder aufgenommen, die in den russlanddeutschen Gemeinden in den Dakotas und in Saskatchewan Eingang gefunden haben und bis zum zweiten Weltkrieg noch weitgehend gesungen wurden.

Die erste umfassende Liedersammlung aus dem Liedgut der Russlanddeutschen wurde 1923 von Professor Georg Schünemann in seinem wissenschaftlichen Werk, "Das Lied der deutschen Kolonisten in Russland," veröffentlicht. Von den 400 Liedern dieser Sammlung sind es jedoch kaum hundert, die aus den südrussischen Kolonien stammen und darunter sind die Kolonien im Gebiet Odessa nur mit ein paar Liedern vertreten. Vierzig von den Liedern aus südrussischen Kolonien habe ich in meine Sammlung aufgenommen, mit den von Professor Dr. Schünemann aufgezeichneten Melodien. Dazu kommen weitere 30 Lieder, die sich unter den russlanddeutschen Ansiedlern in den Dakotas und Saskatchewan erhalten haben, während sie im kommunistischen Russland schon längst untergegangen sind.

Da ich schon 1950 eine Tonbandaufnahme dieser Volkslieder machte, ist es mir jetzt gelungen nicht nur die Texte sondern auch die Melodien zu erfassen und damit dieses kostbare Liedgut vor dem Untergang zu erretten. Für die freundliche Hilfe beim Aufzeichnen der Melodien zu diesen Liedern gilt mein besonderer Dank den Landsluten Herrn Lambert Laturnus, Mannheim, und Herrn John M. Gross, Georgental, so wie auch meinem Kollegen Herrn Professor Samuel Hicks.

Mit diesem "Liederbuch der Schwarzmeerdeutschen" besitzen unsere Landsleute in Amerika, Kanada und in Übersee ein lang erwartetes Erbstück zur Erinnerung an altes Kulturgut unserer Vorfahren. Möge dieses Familienbuch, das nicht nur zum Lesen sondern auch zum Singen bestimmt ist, den Nachkommen viel Freude bereiten.

Joseph S. Height

Foreword

As a distinctive part of our German-Russian cultural heritage, we must no doubt regard the folk songs which our forefathers originally brought with them to the steppes of southern Russia, where they were cultivated and preserved for more than a century. Most of these songs were eventually brought to the plains of the Dakotas and Saskatchewan by our immigrant grandfathers. Here, too, many of the time-honored *Lieder* survived for several decades amd new songs were continually added to the old repertoire.

However, with the passing of the old-timers who cherished these songs and sang them in frequent social gatherings, in the *Maistub*, in the *Volksvereine*, at weddings, namesday celebrations, and other festive occasions, many of the old songs have become largely forgotten or almost completely extinct. To be sure, there are still a few communities where a number of these songs are sung on occasion, particularly by the older generation. But among the younger set the memory of the old songs is dwindling.

It is therefore a matter of historical concern and of filial piety that our ancestral heritage of folk song be preserved as a precious memento of the spirit of our forefathers. With this in mind, I have undertaken to produce a representative collection of the *Volkslieder der Schwarzmeerdeutschen* and their contemporary descendants. The present anthology of 150 songs is divided into two groups. The first comprises 100 traditional songs that were preserved in the Black Sea region for more than a century. The second group of 50 *Volkslieder* represents the songs that were adopted by our people in America and Canada in the course of the first half of the present century.

A major source for the present collection was Georg Schünemann's outstanding work, "Das Lied der deutschen Kolonisten in Russland," which contains the text and the musical notation of more than 400 songs that were sung by the Germans in Russia prior to the Communist Revolution. From this collection I selected 50 songs that were popular in the Black Sea region. The texts of other songs were generally based on the oral tradition of old-timers with whom I have been acquainted. I am especially grateful to my dear Landsleute Lambert Laturnus and John M. Gross-- both of them musicians and folksingers--for providing the musical notation for a number of hitherto 'unscored' songs. For the benefit of the descendants who are no longer familiar with the vernacular of their forebears, I have provided the English translation of some forty songs.

May this anthology of folk songs evoke happy memories of our pioneer ancestors and provide many hours of enjoyment and inspiration for the young in heart.

Joseph S. Height

CONTENTS

PART ONE. TRADITIONAL LIEDER

Maria wollte wandern

Ruhig
(M. M. ♩=92)

Kolonie Selz

1. Ma - ri - a woll - te wand - re, wolt a - le Len - ter aus - ge willt

ten

su - chen i - re li - ber Son, willt su - chen i - re li - ber Son

1. Maria wollte wandern
   wollet alle Land ausgehn.
   :|: wollt suchen ihren lieben Sohn.:|:

2. Wer begegnet ihr auf der Reise?
   Sankt Petrus, der heilige Mann.
   :|: "Habt Ihr meinen Sohn nicht gesehn?" :|:

3. "Gestern Abend spät hab ich ihn gesehen
   Vor einem jüdischen Haus,
   :|: Ganz blutig sah er aus.":|:

4. Was trug Jesus auf seinem Haupte?
   "Eine dornengeflochtene Kron'.
   :|: Das Kreuz trug Jesus schon." :|:

5. Das Kreuz muss Jesus tragen
   Von Jerusalem wohl in die Statt,
   :|: wo er gelitten hat." :|:

6. Maria stand unter dem Kreuze
   Und trauert und weinet so sehr
   :|: Um ihren Sohn und Herr. :|:

7. Maria, du sollst nicht weinen,
   Sollst auch nicht traurig sein:
   :|: Denn das Himmelreich, das ist dein.:|:

Es träumte unsre Frau

Kol. Selz

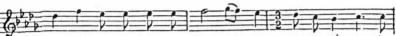

1. *Es träumete einer Frau*
Ein wunderschöner Traum,
Als wär ihr unter ihrem Herzen
Gewachsen ein wunderschöner Baum.

A Lady once did dream
A dream most beautiful,
As though beneath her heart
A marvellous tree did grow.

2. *Der Baum wuchs in die Höhe,*
Wuchs über weit und breit;
Er bedecket mit seinen Ästen
Die ganze Christenheit.

The tree grew so high,
Grew out far and wide;
It covers with its branches
All of Christendom.

3. Die Äste waren rot
Sie glänzten wie das Gold.
Das macht, weil Jesus Christus
Gehänget war an das Holz.

The branches were all red,
They gleamed like gold.
For Jesus Christ Himself
Was hanging on the rood.

4. Und wer das Liedlein sang,
Sei's Weibsbild oder Mann,
Dem steht der Himmel offen,
Die Hölle war zugetan.

For all who sang the song,
Be they men or women,
Heaven is standing open
And Hell was closed.

5. Die Kinder auf der Strasse
Verspotten ihren Gott.
Wer weiss, können sie mal beten
Die heiligen zehn Gebot?

The children on the street
Are scoffing at their God.
Who knows if they can recite
The holy ten commandments.

※※※◇※※※◇※※※◇※※※

Dreikönigslied

Notation by
Prof. Samuel Hicks

Text preserved by Balthasar L. Heit

Aus Kolonie Mannheim

Die heil-gen drei Kön-ig mit ihr-em Stern,

Sie su-chen Herrn Je-sus, sie hätt-en ihn gern.

Die heiligen drei König mit ihrem Stern,
Sie suchen Herrn Jesus, sie hätten ihn gern.

Sie gehn mit einander den Berg obenaus,
Der Stern steht wohl über dem Haus.

Sie gingen in das Häuslein 'nein,
Da lag das Kind im Krippelein,

Ganz nacket, ganz nacket und bloss;
Maria nahm's auf ihren Schoss.

Sankt Joseph zog sein Hemdelein aus
Und macht dem Kind zwei Windelein d'raus.

Der Sterne, der Sterne soll rumme gehn,
Wir wolle den Tag noch weiter gehn.

Und Gott hat uns die Gabe gegeben,
Dass wir das Jahr mit Freude erleben![1]

(The holy three Kings with their star
Are seeking Jesus, and wish to find him.

They travel together up over the hill,
Above the house the star stood still.

They came into the little house,
Where in a crib the infant lay,

All naked, all naked, and bare.
Mary took it upon her knee;

St. Joseph drew off his only shirt
And made two napkins out of it.

The star, the star must keep on turning,
Today we still have far to journey.

And God has granted us His grace,
To live with joy in the coming year.

---

[1] The concluding couplet represents a somewhat garbled variant from the original version
which read:

Ihr habt uns ehrliche Gaben gegeben,
Gott laß' Euch das Jahr mit Freude erleben!

4

Ach, Eheleit, höret nun an

Aus südrussischer Kolonie

1. Ach, Ehe-leit, ach hö-ret nun an,

Und neh-met zu Her-zen den Gesang

Und hal-tet die Eh-re in Treu

Wenn Gott euer Hel-fer soll sein.

Notierung von John M. Gross

1. *Ach, Eheleut, ach höret nun an*
   Und nehmet zu Herzen den Gesang;
   Und haltet die Ehre in Treu,
   Wenn Gott euer Helfer soll sein.

2. *Das Ehepaar im Hause gehet 'rum,*
   Nicht redend, als wären sie stumm;
   So finster einander schaun an,
   Als gehörten sie nicht zusammen.

3. *Der Ehemann muss sorgen fürs Brot,*
   Damit sein Weib leidet kein Not;
   Er muss sorgen für Weib und für Kind,
   Sonst wäre es eine grausame Sünd.

4. *Die Eheleut gehorsam sollen sein,*
   Ihre Zunge müssen halten recht fein;
   Und tun sie ja solches nicht,
   So müssen sie stehen vor's Gericht.

5. *Und da wo kein Friede nicht ist,*
   Da waltet der liebe Gott nicht;
   Und schaffet den Unfrieden hinaus,
   Sonst waltet der Teufel im Haus.

Dear newly-weds, just listen
And take this song to heart;
And hold your troth in honor,
If God is to be your helper.

The couple go round in the house,
Not speaking, as though they were mute
Looking darkly at each other,
As if they belonged not together.

The husband must furnish the bread,
That his wife shall suffer no need;
He must provide for wife and children,
Or it would be terribly sinful.

The twain should be obedient,
And carefully hold their tongues;
And if they do not act thus,
They must stand before the Judge.

And where peace has no domain
The dear Lord does not reign;
So cast all dissension out
Or the devil will rule in the house.

Wo kommt der Ehestand denn her

1. Hört al - le - samt, was ich euch er - klär'! Wo kom - met denn der Eh - stand her? Mer - ket auf mit Fleiss! Er ist von kei - nem Men - schen er - dicht', Gott hat ihn sel - ber ein - ge - richt' im Pa - ra - deis, ___ im Pa - ra - deis!

Courtesy of J. Lefftz, Elsässiche Volkslieder (1975)

2. Als Gott den Adam hat erschaffen,
   Hat er gemacht, dass er ist eingeschlafen,
   Tat ihm nicht weh.
   Es nahm ein Ripp aus seiner Seit'
   Und machte ihm daraus ein Weib,
   Setzt' ein die Eh'.

3. Gott nimmt den Ehstand wohl in acht,
   Weil er aus Wasser Wein gemacht
   Zu Kanaan.
   Der Ehstand ist ein ew'ge Pflicht.
   Was man vor dem Altar verspricht,
   Muss g'halten sein!

   Euch Ehleut', gratulier ich heut,
   Den Frieden wünsch ich euch allzeit
   Bis in den Tod.
   Dazu dann noch viel Glück und Segen,
   Nach diesem auch das ew'ge Leben,
   Das geb euch Gott!

Wir winden dir den Jungfernkranz

Carl Maria von Weber (1820)

1. Wir win-den dir den Jung-fern-kranz mit veil-chen blau - er Sei - de, wir füh -ren dich zu Spiel und Tanz, zu Glück und Lie - bes - Freud-e! 1-4 Schöner, grü-ner schö-ner grü-ner Jung-fern-kranz, veil-chen blaue Sei - de, veil-chen - blau - e Sei- - de!

2. Lavendel, Myrt' und Thymian,
   das wächst in meinem Garten.
   Wie lang bleibt doch der Freiersmann?
   Ich kann nicht länger warten. :|: Schöner...

3. Sie hat gesponnen sieben Jahr
   den gold'nen Flachs am Rocken,
   Die Schleier sind wie Spinnweb klar
   und grün der Kranz der Locken. :|: Schöner...

4. Und als der schöne Freier kam,
   war'n die sieben Jahr verronnen,
   Und weil er die Herzliebste nahm,
   hat sie den Kranz gewonnen. :|: Schöner...

Mässig

Es wa - ren zwei Kö - nigs - kin - der, Die hat - ten ein - an - der so lieb, Sie konn - ten zu-sam - men nicht kom - men Das Was - ser war viel zu tief, das Was - ser war viel zu tief.

„O Liebster, kannst du nicht schwimmen?
So schwimme doch her zu mir!
Drei Kerzen will ich dir anzünden,
Und die sollen leuchten dir, und die sollen leuchten dir!"

Da sass eine alte Nonne,
Die tat, als wenn sie schlief,
Sie täte die Kerzen ausblasen,
Der Jüngling ertrank so tief, der Jüngling ertrank so tief.

Ein Fischer wohl fischte lange,
Bis er den Toten fand.
„Nun, sieh' da, du liebliche Jungfrau,
Hast hier deinen Königssohn, hast hier deinen Königssohn."

Sie nahm ihn in ihre Arme
Und küsst' ihm den bleichen Mund:
Es musst' ihr das Herzlein brechen,
Sie sank in den Tod zur Stund', sie sank in den Tod zur Stund'.

Es wollt ein Jägerlein jägen

Volkslied, 1776

mf

1. Es wollt ein Jä-ger-lein ja - gen drei-vier-tel Stund vor Ta - gen wohl in dem grü - nen Wald, ja Wald, wohl in dem grü - nen Wald. — 1.–5. Hal-li, — hal-lo, — hal-li, — hal-lo, — wohl in dem grü - nen

f

p

[1.] Wald. — Hal- **[2.]** Wald. —

2. Da traf er auf der Heide
sein Lieb im weißen Kleide;
sie war so wunderschön, ja schön,
sie war so wunderschön.
Halli...

3. Sie täten sich umfangen,
und Lerch und Amsel sangen
vor lauter Lieb und Lust, ja Lust,
vor lauter Lieb und Lust.
Halli...

4. Sie tät dem Jäger sagen:
„Ich möcht ein Kränzlein tragen
auf meinem blonden Haar, ja Haar,
auf meinem blonden Haar."
Halli...

5. Will zum Altar dich führen,
dich soll ein Kränzlein zieren
und dann ein Häubchen fein, ja fein,
und dann ein Häubchen fein."
Halli...

Es wollte ein Jäger früh jagen

Frisch
(M.M. ♩ = 80)

Aus südrussischen Kolonien

1. Es woll-te ein Jä-ger früh ja-gen, dreivier-tel Stunde vor Ta-gen, wohl in den grü-nen Wald, ja, ja, wohl in den grü-nen Wald.

2. Da begegnet ihm auf der Reise
Ein Mädel war schneeweiß gekleidet,
Das war so wunderschön, ja, ja,
Das war so wunderschön.

3. Er wollte das Mädel mal fragen,
Ob es ihm nicht helfen wollt jagen
Ein Hirschlein oder ein Reh, ja, ja,
Ein Hirschlein oder ein Reh.

4. Sie legten sich beide nieder
Mit ausgebreiteten Gliedern,
Wohl bis der Tag anbrach, ja, ja,
Wohl bis der Tag anbrach.

5. „Steig auf, Du fauler Jäger,
Die Sonn' scheint über die Dächer,
Ja, Jungfer, bin ich ja noch, ja, ja,
Ja, Jungfer bin ich ja noch."

6. Es wollte den Jäger verdrießen,
Er wollte das Mädel erschießen,
Wohl um das einzige Wort, ja, ja,
Wohl um das einzige Wort.

(Das Weitere vergessen.)

(Nach dem Diktat des Sängers von einem Kolonisten geschrieben.)

After singing a convivial song, the Kutschurganer folksingers generally added the humorous line:"Und wer's nicht glauben will, geh selber hin!" (And if you don't believe it, go there yourself).

Und wer's nicht glauben will, geh' sel-ber hin!

Es ging einmal ein Jäger

2. „Wohin willst du, o Mädchen,
Wohin steht dir dein Sinn?"
„Mein Sinn steht mir nach Vater und Mutter,
Wo ich es geboren bin."

3. „Du antwortst mir, o Mädchen,
Du antwortst mir so fein,
Ein Ringlein will ich dir geben,
Das soll dein Andenken sein."

4. „Was soll ich mit dem Denkmal,
Was soll ich mit dem Ring?
Das tu ich aus lauter Liebe,
Weil wir es zwei Liebchen sein. "

Mädchen, schau mir ins Gesicht

Es ritten drei Reiter

Volkslied, 1777, zum Teil aus dem 16. Jh.

1. Es rit - ten drei Rei - ter zum To - re hin - aus,
Feins - lieb - chen, das schau - te zum Fen - ster her - aus,

a - de! —————— Und wenn es denn soll — ge -

schie - den sein, so reich mir dein gol - de - nes Rin - ge - lein, a -

-de, a - de, a - de! Ja, Schei - den und

Mei - den tut weh!

2. Und der uns scheidet, das ist der Tod, ade!
   Er scheidet so manches Mündlein rot, ade!
   Er scheidet so manchen Mann vom Weib,
   die konnten sich machen viel Zeitvertreib, ade, ade, ade! ...

3. Er scheidet das Kindlein in der Wieg'n, ade!
   Wann werd ich mein schwarzbraunes Mädel doch krieg'n? Ade!
   Und ist es nicht morgen, ach, wär es doch heut,
   es macht uns all beiden gar große Freud, ade, ade, ade! ...

✳✳✳✳

Es wollt' ein Mädchen nach Wasser gehn

Flott
(M.M. ♩ = 84)

Kol. Gnadenthal (Bess).

1. Es wollt ein Mädchen nach Was-ser gehn wohl an den küh-len

Brun-nen la-la-la la la la la wohl an den küh-len Brun-nen.

2. Und als das Mädchen an Brunnen kam,
   Da kams ein Reiter geritten, lalala usw.

3. „Ach liebstes, liebes Mädchen mein,
   Du solst ja meine Gemahlin sein", lalala usw.

4. „Soll Ich ja Deine Gemahlin sein
   So mahle mir drei Rosen lalala usw.

5. Die erste weiß, die zweite blau
   Die dritte wie Violen", lalala.

6. Da sitzt der Reitter aufs Pferd hinauf
   Und Ritt es zu dem Müller, lalala.

(Einige Verse vergessen.)

7. „Und ich bin Dein und Du bist mein
   Und niemand soll uns scheiden, lalala.

8. Und Der uns ja nur scheiden kann,
   Der scheidets alle Leute", lalala.

(Nach der Niederschrift des Sängers.)

Sprich, und du bist mein Mitmensch

Singe, und wir sind Brüder und Schwestern !

Theodor von Hippel (1771–1843)

Drunten am kleinen Bache

Da drunten am klei-nen Bach-e, da steht ein Fischers-

Haus. Da'. schaut ein schwarzbrauns Maidichen. zum

Fen-ster auf mich es her - aus. Da

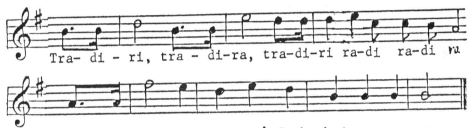

Tra- di - ri, tra - di-ra, tra-di-ri ra-di ra-di ra

Tra - di- ri -ri - ra - a! Juch -hei-ra -sa -sa.

Text preserved by Balthasar Heit   Notierung von Lambert Laturnus

1. Drunten am kleinen Bache
Da steht ein Fischershaus,
Da schaut es ein schwarzbrauns Maidchen
Zum Fenster auf mich heraus.
   Tradiri-tradira, tradiri-radi-radi-ra,
   Tradiri-ri-ra, juchheirasassa!

Down by the little brook
There's a fisherman's house.
A dark-brown girl at the window
Is looking out at me.
:: Tradiri-tradira, etc.

2. Komm her, du Fischersjunge,
Und reich mir deine Hand;
Eine Fischerin will ich's werden,
Will ziehen mit dir auf das Land. Ref.

Come here, young fisherman,
And give me your hand;
I want to become a fisher-girl,
And live with you on the land.

3. Auf solche silberne Fische
Hab ich schon längst gespannt,
Und wenn ich glaub ich hab sie schon,
So glitschen sie mir aus der Hand. Ref.

For such silvery fish
I've waited long and planned;
But when I think I've got them,
They slither out of my hand.

Das Lied von der Nonne

Kolonie Mannheim

Volkslied, um 1780

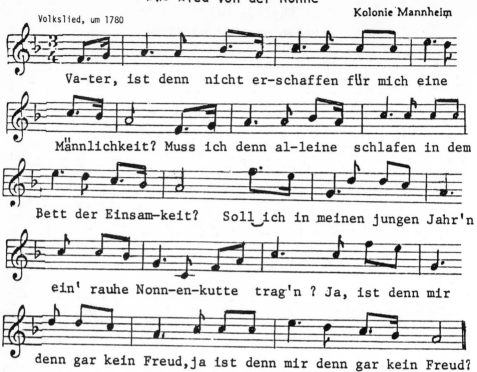

Va-ter, ist denn nicht er-schaffen für mich eine Männlichkeit? Muss ich denn al-leine schlafen in dem Bett der Einsam-keit? Soll ich in meinen jungen Jahr'n ein' rauhe Nonn-en-kutte trag'n? Ja, ist denn mir denn gar kein Freud, ja ist denn mir denn gar kein Freud?

Text preserved by Balthasar L. Heit

Notation by Lambert Laturnus
and Prof. Samuel Hicks

1. Vater, ist denn nicht erschaffen
   für mich eine Männlickeit?
   Muss ich denn alleine schlafen
   in dem Bett der Einsamkeit?
   Soll ich in meinen jungen Jahr'n
   eine rauhe Nonnenkutte trag'n?
   :|: Ist denn mir dann gar kein' Freud? :|:

2. Nein, mein Kind, auf dieser Erden
   bilde dir nichts and'res ein.
   Eine Nonne musst du werden
   und musst leben keusch und rein.
   Mit den Frommen musst du klingen,
   Gott zu Ehren musst du singen.
   :|: Gib dich nur geduldig drein. :|:

3. Vater, könnt ihr das verbieten,
   was Gott selbst geboten hat?
   Sollte ich den ohne Lieben
   wandeln bis ins kühle Grab?
   Denn Gott sprach: Auf dieser Erden
   soll die Welt vermehret werden."
   Seid ihr denn jetzt über Gott?
   :|: Ach, das wär für euch ein Spott. :|:

4. Du verfluchtes Adamskinde,
   Ja, du sollst haben einen Mann.
   Soll's dir aber übel gehen,
   so will ich keine Schuld daran.
   Denn die Schuld musst selber trag'n,
   weil du bist noch jung von Jahr'n.
   :|: Ja, du sollst haben einen Mann. :|:

Laß nur die Leut' reden

Kolonie Selz

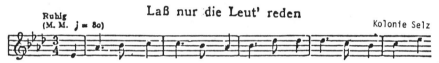

1. Las nur die Leut re - ten, Lass nur die Leut re - ten, lass be - len

die Hunt! Und auch Schatz, wenn Du mich lie-best, und auch Schatz

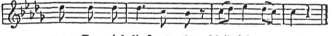

wenn Du mich lie-best, so bleib ich ge-sunt.

1. Lass nur die Leut reden,
Lass bellen die Hund!
Und ach Schatz, wenn du mich liebest,
So bleib ich gesund.

Just let people prattle,
and let the dogs yelp.
If you, my sweetheart, love me,
I'll stay in good health.

2. Und jetzt lass ich mir's machen
Ein Fenster aufs Herz,
Und darein kannst du ja sehen,
Wie getreu ich dir bin.

I'll have me a window
Built into my heart;
Through it you can see
How true I will be.

So getreu wie zwei Eheleut,
So getreu bin ich dir.

Just like a wedded pair,
I am faithful to you.

Wenn in der Liebe keine Falschheit ist

1. Schön-ster Schatz, mein Au-gen-trost, hat gänz-lich mich ver-las-

sen! Du hast mir ja die Treu ver-sagt, hast mir mein

Herz so schwer ge-macht, hast gänz-lich mich ver-las-sen.

Courtesy of J. Lefftz, Elsässiche Volkslieder (1975)

2. Des Abends, wenn ich schlafen geh,
   Denk ich an jene Stund,
   Denk ich an mein Schätzelein schön,
   Wo mag mein Schatz, mein Engel sein,
   Der mich so treu geliebet?

3. Des Morgens, wenn ich früh aufsteh,
   Die Sonne scheint in Strahlen,
   Denk ich an mein schön Schätzelein,
   Lacht mir mein Herz vor lauter Freud,
   Vor lauter Lieb und Freude.

4. Sie trägt ein Ring an ihrer Hand,
   Darinnen stehn zwei Namen,
   Und wenn's von Gott verheissen ist
   Und in der Lieb kein Falschheit ist,
   So kommen wir zusammen.

Nur in Ehren

1. Wenn ich auch kein Schatz mehr hab, werd ich bald ei - nen fin - den.

Ich ging das Gäss-lein wohl auf und ab, ich ging das

Gäss- lein wohl auf und ab bis zu der Lin- de.

Courtesy of Joseph Lefftz, Elsässiche Volkslieder (1975)

2. Als ich zu der Linde kam,
   Stand mein Schatz daneben.
   « Grüss dich Gott, du herztausiger Schatz !
   Wo bist du gewesen ? » –

3. « Wo ich denn gewesen bin,
   Darf ich dir wohl sagen.
   Ich bin gewesen in einem fremden Land,
   Hab auch viel erfahren.

4. Das, was ich erfahren hab,
   Darf ich dir auch sagen.
   Hab erfahren, dass zwei junge Leut
   Gern bei einander schlafen. » –

5. « Bei mir schlafen darfst du schon,
   Will dir's auch nicht wehren,
   Aber nur, herztausiger Schatz,
   Aber nur in Ehren. »

Ich ging einmal bei finstrer Nacht

Lustig
(M. M. ♩. = 8o)

Kol. Enders

1. Ich ging a - mal bei füns-dre nacht, ich ging a - mal bei füns-dre nacht, die nacht. die war so dun - kel, das man kein Stärn-lein sah, die sah.

1. Ich ging einmal bei der Nacht (rep.)
   :|: Die Nacht die war so dunkel,
   Dass man kein Sternlein sah. :|:

2. Da kam ich vor eine Tür (rep.)
   :|: Die Tür, die war verschlossen,
   Drei Rieglein waren dafür. :|:

3. Es waren der Schwesterlein drei. (rep.)
   :|: Die Jüngste unter den dreien,
   die liess mich leise hinein. :|:

1. Ich ging einmal bei der Nacht (rep.)
   :|: Die Nacht die war so dunkel,
   Dass man kein Sternlein sah. :|:

2. Da kam ich vor eine Tür (rep.)
   :|:Die Tür, die war verschlossen,
   Diei Rieglein waren dafür. :|:

3. Es waren der Schwesterlein drei. (rep.)
   :|: Die Jüngste unter den dreien,
   die liess mich leise hinein. :|:

4. Ich stellte mich hinter die Tür (rep.)
   :|: Bis Vater und Mutter im Schlafen war'n,
   Da zog sie mich wieder hervor.

5. Sie führte mich oben hinaus (rep.)
   :|: Ich dacht, sie führt mich schlafen,
   Zum Fenster stosst sie mich hinaus. :|:

6. Da fiel ich auf einen Stein (rep.)
   :|: Ich brach mir sechs Rippen im Leibe
   Und dazu das linke Bein. :|:

7. Da kam ein Nachtwächter her, (rep.)
   :|: Er hob mich auf seinen Rücken
   Und trug mich zu einem Arzt :|:

8. Und der Arzt der sprach zu mir, (rep.)
   :|: "So geht's all den jungen Burschen,
   Die nachts auf den Schnepfenstreich gehn!" :|:

Where there's singing, join the throng

Evil people sing no songs.

Der schwatzhafte Junggesell

Volkslied, um 1777

1. Es spiel - ten drei Ge - sel - len, sie spiel - ten, was sie
woll - ten. Sie spiel - ten ih - rer drei auf ei - nem Da - men -
brett, ach wel - cher un - ter ih - nen das schön - ste Mäd - chen hätt'

Courtesy of J. Lefftz, Elsässiche Volkslieder (1975)

1. Es waren drei Gesellen.
Die taten was sie wellen:
Sie spielten alle drei
Auf einem Damenbrett,
Und welcher unter ihnen
Das schönste Mädchen hat.

There were three companions
Who did whatever pleased them:
All three of them once played
Some games on a draught-board,
And which among the three
Possessed the loveliest girl.

2 Der jüngste unter ihnen,
Der konnte nichts verschweigen:
Es hat mir gestern Abend
Ein Mädchen zugeredt,
Ich soll ja bei ihr schlafen
In ihrem Federbett.

Among the three the youngest
Just couldn't keep a secret:
"I met a girl last evening
Who propositioned me
That I should sleep with her
In her feather bed."

3. Das Mädchen an der Wande
Hört alle Red' und Schande. —
Er klopfet an das Tor
Mit seinem goldenen Ring:
"Schatz, schlafest oder wachest,
Mein auserwähltes Kind?"

The girl behind the wall
overheard this shameful talk. —
Next night he taps her door
With his golden ring:
"Are you sleeping or awake,
My chosen darling girl?"

4. "Ich schlafe nicht, ich wache,
Ich tu dir nicht aufmache:
Du hast mir gestern Nacht
Ein' falsche Red' getan,
Du hast mich an der Wande
In Schanden lassen stehn."

"I'm not asleep, but waking
But I'll not let you in:
Last night you made about me
A statement that was false,
As I was by the wall
You left me stand in shame."

5. "Wo soll ich denn hinreiten?
Es schlafen alle Leute,
Es schlafen alle Leute
Und alle Bürgerskind.
Es regnet und es schneiet,
Es bläst ein kühler Wind."

"Where shall I now go riding?
Since everybody's sleeping,
The people all are sleeping,
And all the young and old.
It's raining and it's snowing,
The wind is blowing cold."

6. "Nimm du dein Ross am Zaume
Und bind es an ein'n Baume
Und spreu deinen Mantel aus
Auf grünes Laub und Gras,
Und leg dich darauf nieder,
Es wird schon wieder Tag."

"Just take your horse by the reins,
And tie it to a tree,
And spread your cloak upon
The green leaves and grass,
And then lie down thereon
Until the break of dawn."

7. Er nahm sein Ross beim Zaume
Und schlägt sich auf das Maule:
"Ach Maul, ach hättest du
Das Reden lassen sein,
So tätst du heut noch schlafen
Bei meinem Schätzelein."

He took his horse by the reins
And slapped his own big mouth:
"O mouth, had you stayed shut
Instead of making talk,
You would still be sleeping
With my sweetheart tonight."

⁑ <u>Parody</u> of the sixth stanza (Colony of Kandel).

Reit' 'naus auf grün're Heid,
Dort liegt ein Kuhdreck breit,
Leg da dein Kopf darauf,
Auf solchen weichen Dreck.
Nun sag, du bist geschlafen.
Bei mir im Federbett.

Der Hafersack

Volksweise

1 Es wohnt ein Mül-ler an je-nem Rhein. Lauf, Mül-ler, lauf! Der

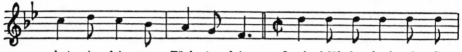

hat ein fei-nes Töch-ter-lein. Lauf, Mül-ler, lauf wie die

Katz nach der Maus, Kreuz-hei-lig Don-ner-not, Mül-ler, lauf, lauf,

lauf! Mein lie-ber Mül-ler, lauf, mein lie-ber Mül-ler, lauf!

2. Nicht weit davon ein Edelmann. Fidirolala!
   Der wollt dem Müller sein Töchterchen haben.

3. Der Edelmann der hat einen Knecht,
   Und, was er tat, das war schon recht.

4. Er steckt den Herrn in einen Sack
   Und trug ihn fort für ein Hafersack.

5. « Guten Tag, guten Tag, Frau Müllerin,
   Wo soll ich stellen meinen Hafersack hin ? » –

6. « Stell du ihn nur in jenes Eck,
   Nicht weit von meiner Tochter Bett. »

7. Und als so war um die Mitternacht,
   Hat`sich der Hafersack schon lustig gemacht.

8. « O Mutter, bringt mir geschwind e Licht,
   Der Hafersack schon auf mir liegt !

9. O Mutter, lösche nur das Licht !
   Es geschieht mir jetzt kein Leid nicht. »

10. « Ach Tochter, wärst du stille geblieben,
    So hättest du können einen Edelmann kriegen. »

11. « Einen Edelmann mag ich nicht,
    Eim lustigen Burschen abschlag ich's nicht.

12. Und einen lustigen Burschen, den will ich haben,
    Und sollt ich ihn gleich aus der Erde hervorgraben. »

Courtesy of Joseph Lefftz, Elsässische Volkslieder

Ich ging einst übers breite Feld

Lustig
(M.M. ♩ = 96)

Kol. Nikolaithal

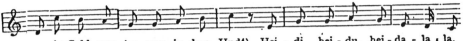

1. Ich ging einst ü-bers brei-de Feld, die Son-ne brant wie Klud, in der Ta-sche

we-nig Geld, nur im-mer in dem Hud'). Hei - di, hei - du, hei - da - la , la,

hei - di, hei - 'du, hei - da. in der Ta-sche we - nig Geld nur

im-mer in dem Hud.

1. Ich ging einst übers breite Feld,
Die Sonne brannt' wie Glut.
In der Tasche wenig Geld,
Nur immer mit dem Hut.

Once I crossed a wide field,
The sun was burning hot.
In my pocket little money,
But always with my hat.

2. Ich sah von fern ein Mädchen stehn,
Das war so wunderschön.
Ich konnt ihr nicht ins Gesichte sehn,
Denn sie war mit dem Hut.

I saw from far a pretty girl,
She was so beautiful.
I could not look into her eyes,
For she did wear the hat.

3. Es dauert kaum dreiviertel Jahr,
Da war die Liebe da,
Gebar sie einen jungen Sohn,
Und der war in dem Hut.

It only took three-quarter year,
When love came to light.
And she bore a little son,
And he was in the hat.

4. Da wollt' sie mich vors Gerichte ziehn,
Ich sollt' ihr es bezahlen,
Ich hab ja keinen Heller nicht
Als meinen alten Hut.

She wanted to sue me in court,
I was to pay for it.
But not a penny do I own,
Nothing but my hat.

5. Da sieht man, wie die Mädchen sind,
Sie sind einem jeden gut,
Und wenn's ein krummer Schneider ist,
Dann sagen Sie: Er ist gut!

Here one sees how the girls are;
They are nice to everyone,
And when it's a hunch-backed tailor,
They say: "He is good."

Ich werde mich wohl müssen bequemen

Test preserved by
Balthasar L. Heit

Aus Kolonie Mannheim

Ich werde mich wohl müss-en be-que-men

Mir ein jung frisch Weib-i-chen zu neh-men

Leider doch findt stets manch ein junger Ge-sell

Anstatt den Eh-stand, den Himmel und die Höll.

Nein, nein, nein, ach nein, ich will im-

Notation by
Prof. Samuel Hicks

mer recht vor-sicht-ig sein.

1. Ich werde mich wohl müssen bequemen,
Mir ein jung frisch Weibchen zu nehmen.
Leider doch findet manch junger Gesell
Anstatt den Ehestand, den Himmel oder d'Höll.
:: Nein, nein, nein ach nein,
Ich will immer recht vorsichtig sein. :

I really have to think of making up my mind,
A young, comely wife for myself to find.
Still, many a young bachelor, sad it is to tell,
Found, instead of wedded bliss, heaven or hell.
:: Nay, nay, nay oh nay,
I really must be careful anyway.::

Manche sind zahm wie die Lämmer und die Täubchen,
Bis sie kommen in die Wirtschaft als Weibchen;
Dann wollen sie gleich Herrscherin im Hause sein,
Schlagen sogar mit Pantoffeln obendrein. Ref.

> Some of them are tame like the lamb and turtle dove,
> Happy in the household as wives of love.
> But soon they commence to rule and to reign,
> Wielding the slipper with all their might and main.

Manche, die haben am Putzen ihr Vergnügen,
Lassen alle Arbeit stehen oder liegen;
Stehen vor dem Spiegel den ganzen Tag,
Dadurch wird ein mancher zum Bettelmann gemacht.

> Some love to primp and find it lots of fun,
> Leave all the housework utterly undone,
> Stand before the mirror the whole day through,
> And soon many a man becomes a beggar, too.

Aber, Gott sei Dank, es gibt noch eine Sorte,
Die in der Tat sowie auch in dem Worte,
Fleissig in der Wirtschaft, redlich in der Treu,
Und ein wenig Schönheit ist auch noch dabei.
: *Ja die, ja die, ja die will mir frei'n,*
Und es soll mich auch nimmer mehr gereu'n.:

> But, praise the Lord, there's still another faction,
> Which both in word as well as in action,
> Are busy in the household, faithful and true,
> And they possess a bit of beauty, too.
> :* It's she, it's she, it's she whom I'll woo,
> And this I shall never, never rue. :*

Kommt her und singt,

dass alles klingt,

was Freude bringt.
                    —Fritz Dietrich

Die Brautleut wollten heiraten

Text preserved by Balthasar L. Heit

Aus Kolonie Mannheim

1. Die Brautleut wollten heieraten,'sLieschen war froh

Die Brautleut wollten heier-aten, 's Lieschen war froh.

Da hatten sie keinen Trauring und da weinte sie so,so

Da hatten sie keinen Trauring und da weinte sie so.

Der Bräutigam holt den Näbering rei', sLieschen war froh

Der Bräutigam holt den Näbering rei, 's Lies-chen war froh.

Da hatten sie einen Trauring und da lachten sie so, so.

Da hatten sie einen Trauring und da lachten sie so.

Notation by Prof. Samuel Hicks

2.

:: Die Brautleut wollten tanzen gehn, 's Lieschen war froh ::
:: Da hatten sie keine Gigelgeig und da weinte sie so. ::
:: Der Bräutigam holt den Kuhschwanz 'rein, 's Lies..war froh::
:: Da hatten sie eine Gigelgeig und da lachten sie so. ::

:|: Die Brautleute wollten Kaffee trink'n, 's Lieschen war froh:|:
:|: Da hatten sie keine Kaffeetasse und da weinte sie so. :|:
:|: Der Bräutigam holt den Nachttopf[2] 'rein,'s Lieschen war froh:|:
:|: Da hatten sie eine Kaffeetasse und da lachten sie so. :|:

:|: Die Brautleut wollten schlafen gehn, 's Lieschen war froh:|:
:|: Da hatten sie keine Bettstelle[3] und da weinte sie so:|:
:|: Der Bräutigam holt den Schweinstrog[4] 'rein, 's Lies..war froh:|:
:|: Da hatten sie eine Bettstelle und da lachten sie so:|:

Text preserved by Balthasar L. Heit

---

[1] Nabe-Ring, ring of hub of wheel
[2] Nachttopf, night pot
[3] Bettstelle, bedstead
[4] Schweinstrog, pig trough

The burlesque theme already existed before 1792 in the Oberrhein area of Alsace and Switzerland. In this earliest known version the poor bride, on lamenting the lack of a table knife, a bed quilt, and a pillow, is provided with an old sickle, a bundle of feathers, and a hedgehog.

Tretet fröhlich zum Altare

Tretet fröhlich zum Altare
Betet Gott mit Ehrfurcht an,
Dessen Güte viele Jahre
Euch gesund erhalten hat.
Bittet Jesus seinen Segen,
Ladet ihn zur Hochzeit ein,
Denn daran ist es gelegen,
Wenn ihr glücklich wollet sein.

Glück und Gottes bester Segen
Dringt auf euch vom Himmel her.
Liebe sei auf euren Wegen
Friede Gotes um euch her!

Zwietracht störe nie den Frieden
Ewig frommer Zärtlichkeit,
Denn durch Frieden wird hieniden
Eures Lebens Glück erneut.

Go with gladness to the altar
God above with joy revere,
Whose goodness has preserved
You healthy for many a year.
Pray Jesus for his blessing,
Invite him to the marriage feast,
For on this will it depend,
If you desire true happiness.

Happiness and God's best blessing
Descends on you from Heaven above.
May love be with you on your way,
The peace of God around you.

Let no discord mar the peace
Of lasting pious tenderness,
For through peace upon this earth
Your life's joy will be renewed.

Drei rote Rosen hab ich gefunden

Text preserved by Balthasar Heit

Kolonie Mannheim

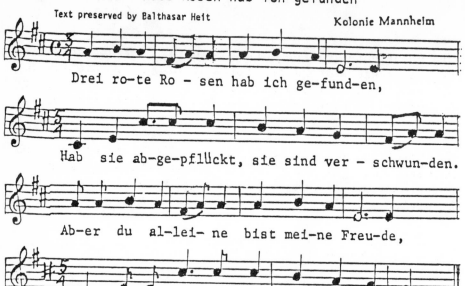

Drei ro-te Ro - sen hab ich ge-fund-en,

Hab sie ab-ge-pflückt, sie sind ver - schwun-den.

Ab-er du al-lei- ne bist mei-ne Freu-de,

Sonst ab-er nie-mand mehr auf die-ser Welt.

Notierung von John M. Gross

2. Und vor der Hochzeit da gibt es Kuchen,
   und nach der Hochzeit da kommt das Fluchen.
   :║: Aber du alleine .... :║:

3. Und vor der Hochzeit ein süsser Engel,
   und nach der Hochzeit, ein grober Bengel.
   :║: Aber du alleine .... :║:

4. Und auf dem Dache da sitzen Tauben,
   dass ich dich lieben tu, das kannst mir glauben.
   :║: Denn du alleine .... :║:

Vom Wasser und vom Wein

Melody: Nehweiler/Alsace

Ich weiß ein schö-nes Lie-de-lein vom Was-ser und vom küh-len Wein. Die ka-men mit-ein-an-der ins Strei-ten, der Wein konnt' das Was-ser nicht lei-den.

Text written down in 1912 by
Bishop Anton Zerr, Franzfeld/Od.

1. Ich weiss ein schönes Liedelein,
   Vom Wasser und vom kühlen Wein.
   Die kamen miteinander ins Streiten,
   Der Wein konnt' das Wasser nicht leiden.

   I know a nice little song
   Of the water and the wine
   They started disputing together,
   The wine couldn't stand the water.

2. Das Wasser sprach: Ich bin recht fein,
   Man trägt mich in die Küch' hinein,
   Man braucht mich durch die Wochen
   Zum Wäschen und Backen und Kochen.

   The water spoke: I am very fine,
   Into the kitchen I'm taken,
   And needed all through the week
   For washing and cooking and baking.

3. Der Wein sprach dann: Auch ich bin fein,
   Man trägt mich in die Kirch' hinein,
   Verwandelt mich in Christi Blut,
   Des Menschen höchstes Seelengut.

   The wine then spoke: I, too, am fine,
   I'm brought right into the church,
   And changed into the Lord's own blood
   For man's highest spiritual good.

4. Das Wasser sprach: Auch ich bin fein
   Und komm wie du zur Kirch' hinein.
   Man braucht mich dort zum Taufen;
   Dich sieht man dort nicht laufen.

   The water spoke: I, too, am fine
   And like you, I come into church.
   I am needed there for baptizing,
   One does not see you flowing.

5. Drauf sprach der Wein: Bin wahrlich fein,
   Man schenkt mich in die Gläser ein
   Und reicht mich Fürsten und Grafen,
   Die wir mit Wasser strafen.

   Then said the wine: I'm truly fine,
   Into glasses am I poured,
   And given to many a prince and lord
   Who would be offended by water.

Ich bin ein armer Ehemann

Text preserved by
Balthasar L. Heit

Kolonie Mannheim

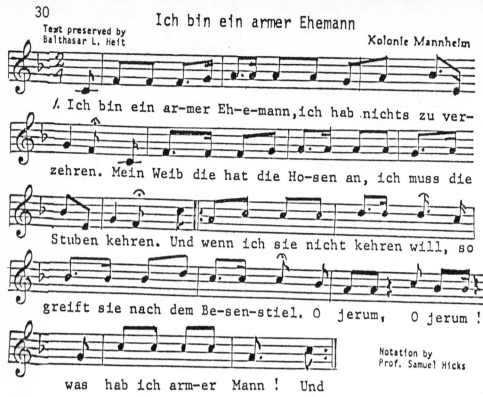

1. Ich bin ein ar-mer Eh-e-mann, ich hab nichts zu ver-zehren. Mein Weib die hat die Ho-sen an, ich muss die Stuben kehren. Und wenn ich sie nicht kehren will, so greift sie nach dem Be-sen-stiel. O jerum, O jerum! was hab ich arm-er Mann! Und

Notation by
Prof. Samuel Hicks

1. Ich bin ein armer Ehemann,
Ich hab nichts zum Verzehren;
Mein Weib die hat die Hosen an,
Ich muss die Stuben kehren.
:‖: Und wenn ich sie nicht kehren will,
So greift sie nach dem Besenstiel,
O jerum, o jerum,
Was hab ich armer Mann? :‖:

I'm a poor married man
I've got nothing to consume;
My wife she wears the pants,
And I must sweep the rooms.
:: And if I fail to do it,
She reaches for the broom
O jerum, o jerum,
What a poor man I am!

2. Mein Weib die trinkt auch Brannterwein
Und Kaffee in der Frühe;
Darin muss weisser Zucker
Und ich krieg Gerstenbrühe.
:‖: Und wenn ich sie nicht trinken will,
So greifft sie nach dem Besenstiel . . :‖:

My wife drinks also brandywine
And coffee every morning,
With pure white sugar, too,
While I get barley-brew.
:: And if I refuse to drink it,
She reaches for the broom-stick . . .

3. Mein Weib die ist auch stolz dabei
Und tut sich gerne putzen;
Sie zieht die schönsten Kleider an,
Und ich die alten Lumpen.
:‖: Und wenn ich sie nicht tragen will,
So greift sie nach dem Besenstiel . . :‖:

My wife is also full of pride,
and likes to spruce and primp;
She wears the finest dresses,
And I the oldest rags.
:: And if I refuse to wear them,
She reaches for the broom . . .

4. Und hätt ich das nur früher gewusst,
   So hätt ich sie nicht genommen;
   Ich hätte für mein schönes Geld
   Eine andere schon bekommen.
   :: Denn ihr Vermögen ist ja doch nicht viel,
   Es ist ja lauter Besenstil, o jerum... ::

If I had known this earlier
I would not have taken her;
For my nice money I could
Easily have gotten me another.
:: For her fortune is not great,
Indeed, it's all just broom-stick.

Morgens, wenn die Sonn' aufgeht

KoL Marienthal

Langsam und frei vorgetragen

1. Morchens wenn die Sonn' aufgeht, die Sonn' geht auf mit Strahlen. Die
Sonn' geht auf mit Strahl'n al-lein—wo wird mein Schatz, mein
En-gel sein? Wo wird er sein ge - blie-ben?

2. Ich hab' ein'n Ring von reinem Gold,
   Darauf stand mein Feinsliebchens Namen,
   Darauf stand mein Feinsliebchens Nam' allein,
   Wo wird mein Schatz, mein Engel sein?
   Wo wird er sein geblieben?

3. Die Leit' sein schlimm, die reden viel,
   Ach Schatz, das wers tu wissen,
   Ach Schatz, das wers tu wiss'n allein, —
   Wo wird mein Schatz, mein Engel sein?
   Wo wird er sein geblieben?

(Nach dem Diktat des Sängers.)

Wer nicht liebt Wein, Weib und Gesang,

Der bleibt ein Narr sein Leben lang.

—Martin Luther

Es war einmal ein kleiner Mann

1. 's war e - mal e - klei - ner Mann,

he - ra - sa, der wollt' ei - ne gro - ße Frau,

hei - di - del - di - del - dum - dum - dum, der wollt' ei - ne

gro - ße Frau, hei - di - del - di - del - dum.

2. Frau auf den Tanzboden ging
Kleinmann wollt' auch mitgehn.

3. „Kleinmann, du bleibst zu Haus,
Wäsch mir Schüssel und Teller aus!"

4. Frau von dem Tanzboden kam,
Mann hinter dem Ofen spann.

5. Mann kroch ins Butterfass,
Guckte er 'raus, kriegt er was.

6. Mann lief zum Haus hinaus,
Lief schnell ins Nachbarshaus.

7. Fing seinem Nachbar an zu klagen:
„Mich hat meine Frau geschlagen!"

8. „Brauchst mir's ja nicht zu klagen,
Meine hat's mir gestern ebenso gemacht!"

Das faule Gretchen

1. Und der ein fau - les Gre - tel hat, der kann schon mun - ter sein. Es schläft ja al - le Mor - gen, Mor - gen, bis dass die Son - ne scheint, bis dass die Son - ne scheint.

Wer ein faules Weibche hat,
Muss selber Küchmagd sein.
"Geh raus, geh raus, du faule,
Das Kühlein steht im Stall."

The man who has a lazy wife,
Must be the maid himself.
"Get out, get out, you sluggard,
The cow's still in the barn."

Als die Kuh gemolken war,
Da war kein Seihtuch da.
Sie nahm dem Mann seine Hosen
Und schneid't das Kreuzstück raus.

When the cow was milked,
There was no straining cloth.
She took her husband's pants
And cut the seat-patch out.

Sie hält ein wenig Kraut übers Feuer,
Da war kein Wasser da;
Sie hält ihr schlohweiss Hemd auf die Höh
Und brunzt ein wenig drein.

She put some cabbage on the stove,
but had no water handy;
She lifted her snow-white chemise,
And peed into it a bit.

Als der Mann gegessen hatt'
"Ach Weib, was hat das Kraut?"
"Es ist im neuen Häfele kocht
Und schmeckt dem Häfele nach."

When the husband had eaten:
"Ah, wife, what's with the cabbage?"
"It was cooked in the new skillet
And got the taste from it."

Und wer's nicht glauben will, geh' sel-ber hin!

Als Heinrich auf die Buhlschaft' ging

Text preserved by Balthasar L. Heit

Kolonie Mannheim

Und als Hein-rich auf die Buhl - schaft ging,

nahm er de-ne Hut mit. Kapp-e kann-mer in die

Tasche steck-e, Kapp-e kann-mer in die Tasche stecke,

aber den-e Hut nit, nit, nit aber den-e Hut nit.

'See footnote on p. 35

Notation by Professor Samuel L. Hicks

1. Und als Heinrich auf die Buhlschaft ging,
Nahm er den Hut mit.
:‡ Kappe kan'mer in die Tasche stecke,
Awwer den Hut nit, nit, nit. :‡

When Heinrich went a-wenching
He took along his hat.
:‡ You can put a cap in your pocket,
But not a hat, hat hat. :‡

2. Und als er's vors Lädelein kam:
Schätzelein, was machst?
:‡ Lass mich zu dir hinein,
Auf eine Nacht. :‡

And when he came to her window:
Sweetheart, what are you doing?
:‡ Let me come in with you
For a night. :‡

3. Und als er bissl drinne war,
Schaut er wieder raus.
:‡ Schaut, wie das Wetter isch,
Heut sieht's gut aus, aus, aus. :‡

And when he was inside a while
He soon looked out.
:‡ To see how the weather is.
Today it looks fine, fine, fine. :‡

4. Am Morje schaut's er 'rum und 'num,
Findet awwer den Hut nit.
Liebes Mädelein, Mädelein,
Gib mir meinen Hut.
:‡ Sonst muss ich bei meiner Treu
Heimgehen ohne Hut, Hut, Hut. :‡

In the morning he looked all around,
But could'nt find the hat:
Dear girl of mine, girl of mine,
Give me my hat.
:‡ Or by my troth I must go home
without my hat, hat, hat. :‡

5. Und als er nach Hause kam,
Sind d'Leit schon auf:
:‡ Ei, du gottloser Bua,
Wie lang bleibst du aus, aus aus! :‡

And when he arrived at home
The folks were already up:
:: O you godless fellow,
How long you've stayed out, out, out. ::

✦✧✦✧✦✧✦

Es wohnt ein Bauer in Schwabenland

Frisch und lustig
(M.M. ♩ = 76)

Kol. Nikolaithal

1. Es wohnt ein Bau - er im Schwaben-land, der hat ein schenes Weib. Weib,

Gerufen

did-lam Weib. Bauerle, ho! Hop - sa und a - ber-mahl, der hat ein

sche - nes Weib, hop - sa und a - bermahl, der hat ein sche - nes Weib.

1. Es wohnt ein Bauer im Schwabenland,
   Der hat ein schönes Weib, didlam Weib.
   :|: Bauerle, ho! Hopsa und abermal,
   der hat ein schönes Weib.

There lived a farmer in Swabia,
He had a pretty wife, didlam wife.
:|: Farmer, ho, hopsa and encore,
He had a pretty wife. :|:

2. Seine Dienstmag war viel schöner noch,
   Das war ihm eine Freud, didlam Freud.
   :|: Bauerle, ho, usw.

The house maid was much lovelier,
To him she was a joy, didlam joy.
:|: Farmer, ho, etc.

3. Und als die Bauerin in die Kirche kam,
   Die Treppe sprang sie 'nauf, didlam
   :|: Bauerle, ho, usw.   'nauf.

And when the wife went forth to church,
She ran up the steps, didlam steps.
:|: Farmer, ho, etc.

4. Da sah sie die Dienstmagd stehen,
   Der Bauer neben bei, didlam bei.

There she saw the housemaid stand,
The farmer at her side, didlam side.
:|: Farmer, ho, etc.

5. "Liebst du die Luise,
   So liebt mich der Preuss, didlam Preuss.
   :|: Bauerle, ho, usw.

"If you love Luise,
I'm loved by the Prussian, didlam Prussian.
:|: Farmer, ho, hopsa and encore,
I'm loved by the Prussian, :|:

The colonist version was badly garbled (zersungen). The first verse had been altered to the meaningless line: "Als *einer* auf die *Botschaft* ging" (When some one went on an errand). In the next stanza the lover's plea to be admitted was entirely omitted. In the fourth stanza a girl named "Amerilla" is suddenly introduced, but this is obviously a distortion of the dialectical phrase "Am Morije". The colonist version also replaces the original "Mägdelein" by "Jägerlein", the hunter who, supposedly, has stolen the boy's hat. In actuality, this old ballad deals with a practice formerly known in peasant communities of southern Germany by the name "Fensterln", which referred to the young lover's clandestine nocturnal visit (sometimes through the window) to his sweetheart.

Die Fahrt ins Heu

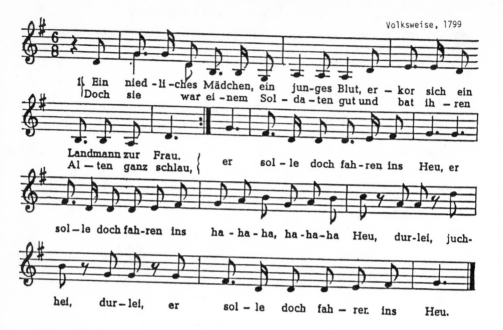

Volksweise, 1799

1. Ein niedliches Mädchen, ein junges Blut, er-kor sich ein
Doch sie war ei-nem Sol-da-ten gut und bat ih-ren
Landmann zur Frau.
Al-ten ganz schlau, er sol-le doch fah-ren ins Heu, er
sol-le doch fah-ren ins ha-ha-ha, ha-ha-ha Heu, dur-lei, juch-
hei, dur-lei, er sol-le doch fah-ren ins Heu.

1. Ein niedliches Mädchen, ein junges Blut
Erkor sich ein Landmann zur Frau;
Doch sie ward einem Soldaten gut
Und bat ihren Alten einst schlau:
⁂ Er solle doch fahren ins Heu ⁑
Hei-ei-ei, juch-heiasassa ::

A comely girl, a youngish thing
To a farmer once was wed;
But she was fond of a soldier lad,
And slyly once told her old man:
:: He ought to go out and make hay ::

2. Ei, dachte der Bauer, was fällt ihr den ein,
Die hat mir was auf dem Rohrl
Wart, wart, ich schirre die Rappen zum Schein
Und stelle mich hinter das Tor
⁂ Und du, als fahr ich ins Heu ⁑ usw.

Oh, mused the farmer, now what's her idea?
She's got some scheme in her pate!
Wait, wait, I'll hitch up the horses for show
And post myself behind the gate,
:: And pretend I've gone to make hay ::

3. Bald kam ein Reiter das Dörflein herab,
So nett wie ein Hofkavalier.
Das Weibchen am Fenster ein Zeichen ihm gab
Und öffnete leise die Tür:
:/: „Mein Mann ist gefahren ins Heu" :/: usw.

And soon a rider comes dashing along
As smart as a court cavalier:
The wife at the window gave him a sign
And softly opened the door:
:: "My husband is gone to make hay!" ::

4. Sie drückte den blühenden Buben ans Herz
Und gab ihm manch feurigen Kuss.
Dem Bauer am Fenster war's schwül bei dem Scherz
Und sprengte die Tür mit dem Fuss:
:/: „Ich bin nicht gefahren ins Heu" :/: usw.

She pressed the lovable lad to her breast,
With fiery kisses galore.
The farmer at the window suffered a start,
With his foot he bashed in the door:
:: "I've not gone out to make hay!" ::

5. Der Reiter, der machte sich auf wie ein Dieb
Durchs Fenster geschwind auf die Flucht;
Doch sie sprach bittend: „Lieb Männchen, vergib,
:/: Er hat mich in Ehren besucht." :/: usw.

Through the window the rider slipped like a thief
And quickly escaped on his runner;
But she entreated: "Dear hubby, forgive,
:: He visited me in all honor." ::

6. „Potz Donner, und wär ich auch Meilen weit
Gefahren ins Heu und ins Gras,
Verbiet ich beim Henker mir während der Zeit
Ein' solchen verwetterten Spass!
:/: Da fahre der Teufel ins Heu :/: usw.

Od's thunder, even though I'd actually be
Miles from here making hay,
Be hanged if I'd allow you to play
Such a damnable trick on me!
:: May the Devil go off to make hay! ::

7. Und wer euch dieses Liedlein nun sang,
Der wird es singen noch oft;
Es ist der junge Reitersknecht
Er liegt nun im Heu und im Hof.
:/: Er fahrt auch manchmal ins Heu! :/: usw.

And he who sang you this little song
Will sing it for many a day;
He is the young soldier boy
Who's lying in the yard and the hay.
:: Sometimes he, too, goes a-haying. ::

◇◇◇◇◇◇◇◇

Der Tod in Basel

Volkslied, 1777

1. Als ich ein jung Geselle war, nahm ich ein stein-alt Weib. Ich hatt' sie kaum drei Ta-ge, Ti-ta-ta-ge, da hat's mich schon ge-reu-et, da hat's mich schon ge-reut.

1. Als ich ein jung Geselle war,
   Nahm ich ein steinalt Weib.
   Ich hat sie kaum drei Tage,
      Ti-Ta-Tage,
   Da hat's mich schon gereut.

2. Da ging ich auf den Kirchhof hin
   Und bat den lieben Tod:
   "Ach lieber Tod von Basel,
      Bi-Ba-Basel,
   Hol nur meine Alte fort."

1. When I was a bachelor
   I married a stone-old wife.
   I had her scarce three days
      di-da-days,
   When I regretted it.

2. I went to the churchyard
   and bade dear old Death:
   "O dear Death of Basel,
      Bi-Ba-Basel,
   take my old woman away."

3. Als ich wieder nach Hause kam,
   Meine Alte war schon tot;
   Ich spannt' die Ross an' Wagen,
   Wi-wa-Wagen,
   Und fuhr meine Alte fort.

When I came home again,
my aged wife was dead;
I hitched the horse to my wagon,
   wi-wa-wagon,
and hauled my wife away.

4. Und als ich auf den Kirchhof kam,
   Das Grab war schon gemacht:
   "Ihr Träger, tragt fein sachte,
   Si-sa-sachte,
   Dass d'Alte nicht erwacht."

And when I reached the graveyard,
the grave was already dug:
"Pall-bearers, carry her softly,
   see-so-softly,
that the old one won't awake."

5. "Scharrt zu, scharrt zu, scharrt immer zu
   Das alte böse Weib,
   Sie hat ihr Lebestage,
   Ti-Ta-Tage,
   Geplagt mein' jungen Leib."

"Cover her up, keep covering
the old evil woman;
All her livelong days
   di-da-days,
she tormented my young body."

6. Als ich wieder nach Haus e kam,
   All' Winkel war'n zu weit;
   Ich wart'te kaum drei Tage,
   Ti-Ta-Tage,
   Und nahm ein junges Weib.

When I got home again,
all the rooms were much too large;
I waited scarce three days,
   di-da-days,
and took a youthful wife.

7. Das junge Weibel, das ich nahm,
   Das schlug mich alle Tag:
   "Ach, lieber Tod von Basel,
   Bi-Ba-Basel,
   Hätt' ich meine Alte noch!"

The young wife whom I wed,
she beat me every day:
"O dear Death of Basel,
   Bi-Ba-Basel,
I wish I had my old one back.

BETGLOCKZEIT

Text preserved by Balthasar L. Heit

Kolonie Mannheim

Hört, ihr Leit, 's isch Betglockzeit!
Der Tag fangt an zu bleiche
Für die Arme und die Reiche;
Der helle Tag mit Freid un Plag;
Gelobt sei Gott und Maria!
Betet Ave Maria, gratia plena!

Hear ye, people, it's time for prayer!
The day begins to grow light
For the poor and the rich;
The bright day with its joy and cares;
Praised be God and Mary!
Pray Hail Mary, full of grace!

Ihr liewe Leit, 's isch Betglockzeit!
Die Nacht fangt an zu schleiche
Für die Arme un die Reiche;
Die dunkle Nacht uns nicht verzagt.
Gelobt sei Gott und Maria!

Dear people, it's time for prayer!
The night begins to creep
For the poor and the rich;
The dark night does not scare us.
Praised be God and Mary!

Madam, nach Hause sollst du kommen

Text preserved by Balthasar L. Heit

Kolonie Mannheim

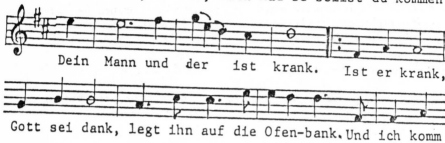

Ma - dam, Ma-dam, nach Hau-se sollst du kommen

Dein Mann und der ist krank. Ist er krank,

Gott sei dank, legt ihn auf die Ofen-bank. Und ich komm

nicht, und ich komm nicht und ich komm nicht nach Haus

Notation by Prof. Samuel Hicks

1. *Madam, Madam, nach Hause sollst du*
   kommen,
   Dein Mann, und der ist krank.
   ℣ Ist er krank, Gott sei Dank!
   Legt ihn auf die Ofenbank!
   Und ich komm nicht, und ich komm nicht,
   Und ich komm nicht nach Haus. ℣

Madame, you should be coming home,
Your husband's fallen ill.
℣: If he be ill, in that case
Lay him by the fireplace!
And I shan't come, and I shan't come,
I shan't be coming home. ℣

2. *Madam, Madam, nach Hause sollst du*
   kommen,
   Dein Mann, und der ist tot.
   ℣ Ist er tot, so sei er tot,
   Leid't er auch keine grosse Not,
   Und ich komm nicht, usw ℣

Madame, you should be coming home,
Your husband, he is dead.
℣: If he's dead, let him be,
He'll suffer no great misery.
And I shan't come, etc. ℣

3. *Madam, Madam, nach Hause sollst du*
   kommen,
   Die Träger tragen ihn schon fort.
   ℣ Tragen ihn die Träger fort,
   Kommt er bald an seinen Ort! Und...℣

Madame, you should be coming home,
They are taking him away.
℣: If they're taking him away,
He'll soon have a place to stay. And...℣

4. *Madam, Madam, nach Hause sollst du*
   kommen,
   Die Träger scharren ihn schon zu.
   ℣ Scharren ihn die Träger zu,
   Der Herr gib ihm die ew'ge Ruh! Und...℣

Madame, you should be coming home,
They're putting him in his grave.
℣: If he's put into his grave,
The Lord give him eternal rest! And...℣

Zu Lauterbach

Volkslied · aus Süddetschland, um 1820

1. Zu Lau-ter-bach haw ich mein Strümpfel ver-lorn, un oh-ne Strumpf geh ich nit heim, drum geh ich halt wie-der nach Lau-ter-bach zu un kauf m'r e Strümpfel ans Bein.

1. Zu Lauterbach haw ich mei Strimpfel verlor'n,
   un ohne Strumpf geh ich nit haam.
   Drum geh ich halt widder uff Lauterbach zue
   Un kaaf m'r a Strimpfel ans Baan.

2. Zu Lauterbach haw ich mei Harzel verlor'n
   Un ohne Harz kann ich nit lew'n.
   Drum geh ich halt widder uff Lauterbach zue
   Mei Schätzel muss seines mir gew'n.

3. Un wenn mich mei Schätzel nit liewe will,
   So haw ich gleich widder zwaa, drei.
   Dann setz ich mei Hütel schräg uf d'r Kopf
   un verlieb mich widder uffs nei.

4. Schätzel, wu isch denn dei Kämmerlein,
   Schätzel, wu isch denn dei Bett?
   "Wohl zwische zwei Stege muss m'r nuff gehn,
   Wohl uff der Gass isch es nit."

Dem Gläslein muß sein Recht geschehn

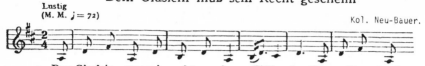

1. Den Glezlein mus sain recht ge-schen Fif-la-fa, Was o-ben schteiht

muß unten hin , Fif-la- fa. Fi-fa, Fif-la-fa, Fif-la, Hai-sa,

Hob-sa-sa, Fif-la Kom-ba-ni-a!

1. Dem Gläschen muss sein Recht geschehen,
   Vive la Compagnie.
   Was oben ist, muss unten stehen,
   Vive la Compagnie.
   REF: Vive la, vive la, vive la la,
   Vive la, vive la, hopsassa,
   Vive la Compagnie.

2. Ich nehm   mein Gläschen in die Hand. Vive la...
   Und fahr damit ins Unterland. Vive la compagnie.

3. Ich nehm mein Gläschen wieder vor, Vive la...
   Und halt's ans recht' und linke Ohr. Vive la...

4. Ich setz mein Gläschen an den Mund. Vive la...
   Und leer es aus bis auf den Grund. Vive la...

5. Das Gläschen, das muss wandern, Vive la...
   Von einem Freund zum andren. Vive la compagnie.

Brüder, wenn ich nicht mehr trinke

Kol. Nikolaithal

1. Brüder, wenn ich nicht mehr trinke
Und auf dem Krankenlager lieg,
:|: Kein Bier und Branntwein ist nicht da,
so denk ich schon mein End ist da. :|:

2. Sterb ich heute oder morgen,
So ist das Testament gemacht.
:|: Für mein Begräbnis müsst ihr sorgen,
Das heisst der Welt Gebrauch vollbracht:|:

3. Im Keller sollt Ihr mich begraben,
Wo ich schon manches Glas geleert,
:|: Den Mund will ich am Zapfen haben,
Die Füsse nach der Wand gekehrt. :|:

4. Und wollt ihr mich zum Grab begleiten,
So folget alle, Mann für Mann.
:|: Um Gotteswillen, lasst das Läuten!
Stosst wacker mit den Gläsern an! :|:

5. Auf meinen Grabstein setzt die Worte:
"Er ward geboren, wuchs und trank,
:|: Jetzt ruht er hier an diesem Orte,
wo er gezecht sein Leben lang." :|:

Comrades, when I drink no more,
and lie sick upon my bed,
I see no beer and brandy there,
I reckon that my end is near.

If I die today or on the morrow,
My testament's already made:
You must take care of my burial,
And fulfill the ways of the world.

You must inter me in the cellar,
Where I emptied many glasses tall.
Place my mouth below the tap,
And turn my feet toward the wall.

And when you escort me to the grave
Let all follow, man for man.
For Heaven's sake, no bells shall toll,
But clink your glasses, one and all.

On my tombstone set the words:
"He was born, grew up, and drank.
He now reposes in this place
Where he guzzled all his days."

Und wer's nicht glauben will, geh' selber hin !

Nun hab ich mein Schimmele verkauft

Aus Kolonie Mannheim

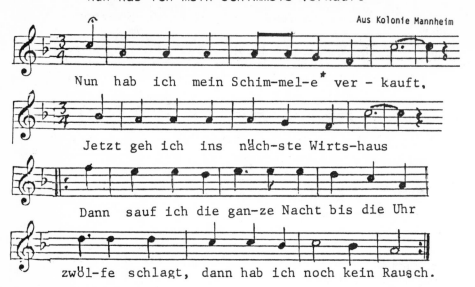

Nun hab ich mein Schim-mel-e* ver - kauft,

Jetzt geh ich ins näch-ste Wirts-haus

Dann sauf ich die gan-ze Nacht bis die Uhr

zwöl-fe schlagt, dann hab ich noch kein Rausch.

Text preserved by Balthasar L. Heit

Notation by Lambert Laturnus
and Prof. Samuel Hicks

1. Nun hab ich mein Schimmele⁵ verkauft,
Jetzt geh ich ins nächste Wirtshaus.
:⁄: Dann sauf ich die ganze Nacht
Bis die Uhr zwölfe schlagt,
Dann hab ich noch kein Rausch. :⁄:

I've sold my little white jug,
I'm off to the neighboring pub.
:‖: There I'll tipple all night
Till twelve o'clock strikes,
And still be far from tight. :‖:

2. Wo kommt man mit saufen dahin? (Rep.)
:⁄: Ins Himmelreich 'nein,
Wo Petrus wird sein,
Er gibt uns den Schlüssel hinein. :⁄:

This tippling, whereto does it lead?
:‖: To the heavenly realm,
Where Peter will be,
He'll surely give us the key. :⁄:

3. Wer wird mit meiner Leiche wohl geh'n?
(Rep.)
:⁄: Der Wein und das Bier,
Die Gläser, das G'schirr,
Frau Wirtin wird auch mitgeh'n. :⁄:

Who'll be in my funeral cortege?

:‖: The wine and the beer,
The glasses that cheer,
Mine hostess will also be there. :‖:

---

* The reference is not to a horse but to a white earthenware wine jug which the old
Alsatians humorously nicknamed "little white pony"

4. *Wo wird denn mein Friedhof wohl sein?* *(Rep.)* :‖: *Im Keller beim Fass,* *Die Gurgel bleib nass,* *Ein herrlicher Friedhof ist das.* :‖:	Where will my graveyard be found? :‖: In the cellar by the keg, My throat'll stay wet — A gorgeous graveyard is that. :‖:
5. *Was wird auf meinem Grabestein stehn?* *(Rep.)* :‖: *Hier liegt es der Lump,* *Der versoffene Lump,* *Der alles versoffen hat.* :‖:	What will be writ on my tomb? :‖: Here lieth the bum, The inebriate bum Who drank his entire income. :‖:

Der Kaffeetrinker

Aus südrussischen Kolonien

1. Kaf-fee, Kaf-fee, du ed-ler Trank! Der dich ge-pflan-zet
hat, der dich ge-pflan-zet hat, dem sei's ge-dankt, dank,
dank, dem sei's ge-dankt.

Notierung von Dr. Stéphan Gruss.

1. *Kaffee, Kaffee, du edler Trank!* *Wer dich gepflanzt hat,* *dem sei's gedankt.*	Coffee, coffee, o noble drink! Whoever planted you, Let him be thanked.
2. *Tabak, Tabak, du edles Kraut,* *Der dich gepflanzet hat,* *Hat wohl gebaut.*	Tobacco, tobacco, o noble weed, Whoever planted you Did a good deed.
3. *Schenk' ein ins leere Glas,* *Was schad't dir das?* *Es schad't nur einem,* *Der's zahlen soll.*	Fill up the empty glass, It harms you not. Only he is hurt Who has to pay.
4. *Der's zahlen soll,* *Er ist weggegangen,* *Wird wiederum kommen,* *Früh oder spät.*	The one who has to pay Has gone away; He'll be back again Early or late.

Krambambuli

Kolonie Sulz

1. Kram - bam - bu - li, das ist der Ti - tel, des Drangs¹), der sich bei
ist das ganz pro - ba - tes Mit - tel, wenn uns was Bö - ses

uns be-wegt. Das
wi - der -
fährt. Des A-bends spät, des Morgens früh, trink

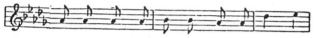

ich ein Glas Kram-bam-bu - li, Krambim - bam-

bam-bu - li, Kram-bim-bam-bu - li.

1. Crambambuli, das ist der Titel
Des Trank's, der sich bei uns bewährt;
Er ist ein ganz probates Mittel,
Wenn uns was Böses widerfährt.
Des abends spät, des moregns früh,
Trink ich ein Glas Crambambuli,
Crambimbambambuli, Crambambuli.

2. Bin ich im Wirtshaus abgestiegen,
Gleich einem grossen Kavalier,
Gleich lass ich Brot und Braten liegen
Und greife nach dem Pfropfenzieher.
Dann bläst der Schwager Tantari
Zu einem Glas Crambambuli.

3. Reisst's mir im Kopf, reisst's mir im Magen,
Hab' ich zum Essen keine Lust,
Wenn mich die bösen Grillen plagen,
Hab ich Katarrh auf meiner Brust.
Was kümmern mich die Medizi?
Ich trink ein Glas Crambambuli.

Muss i denn

Mässig

1. Muss i denn, muss i denn zum Städ-te-le 'naus, Städ-te-le 'naus, und du, mein Schatz, bleibst hier?
Wenn i komm, wenn i komm, wenn i wie-der-um komm, wie-der-um komm, kehr i ein, mein Schatz, bei dir.
Kann i gleich nit all-weil bei dir sein, Han i doch mein Freud' an dir. Wenn i komm, wenn i komm, wenn i wie-der-um komm, wie-der-um komm, kehr i ein, mein Schatz, bei dir.

2. Übers Jahr, übers Jahr, wenn me Träubele schneid't,
Träubele schneid't, stell i hier mi wiederum ein.
Bin i dann, bin i dann dein Schätzele noch,
Schätzele noch, so soll die Hochzeit sein.
Übers Jahr, da ist mein Zeit vorbei,
Da g'hör i mein und dein.
Bin i dann, bin i dann dein Schätzele noch,
Schätzele noch, so soll die Hochzeit sein.

Handwerksburschen Abschied

Marschmässig   Volksweise

Es, es, es und es, es ist ein har-ter
Schluss, Weil, weil, weil und weil, weil
ich aus Frank-furt muss! Drum
schlag' ich Frank-furt aus dem Sinn und
wen-de mich Gott weiss, wo-hin. Ich
will mein Glück pro - bie - ren, mar - schie-ren.

1. Es, es, es und es, es ist ein harter Schluss,
   Weil, weil, weil und weil ich aus Strassburg muss.
   So schlag ich Strassburg aus dem Sinn
   Und wende mich Gott weiss wohin.
   Ich will mein Glück probieren, marschieren.

2. :|: Er, er, er und er
   Herr Meister, leb er wohl! :|:
   Ich sag's ihm grad frei ins Gesicht,
   Seine Arbeit, die gefällt mir nicht. Ich will...

3. :‖: Sie, sie, sie und sie,
   Frau Meistrin, leb sie wohl! :‖:
   Ich sag's ihr grad frei ins Gesicht,
   Ihr Speck und Kraut,das schmeckt mir nicht. Ich..

4. :‖: Ihr, ihr, ihr und ihr,
   Ihr Jungfern lebet wohl! :‖:
   Ich wünsche euch zu guter Letzt,
   Einen andern, der meine Stell' ersetz. Ich will...

Wahre Freundschaft

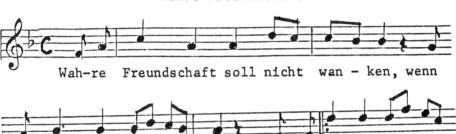

Wah-re Freundschaft soll nicht wan - ken, wenn

sie gleich ent-fer-net ist. Lebt sie fort noch in Ge-

dank-en   únd der Treu - e nicht ver-gisst.

Notierung von Lambert Laturnus

2. Keine Ader soll mir schlagen,
   Wo ich nicht an dich gedacht;
   Ich will für dich Sorgen tragen,
   Bis zur späten Mitternacht.

3. Wenn der Rebstock traget Trauben,
   Und daraus fliesst kühler Wein,
   Wenn der Tod mir nimmt das Leben,
   Hör ich auf getreu zu sein.

Es steht eine Linde

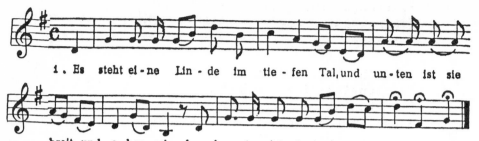

1. Es steht ei-ne Lin-de im tie-fen Tal,und un-ten ist sie breit und o-ben schmal, und un-ten ist sie breit und o-ben schmal.

2. Und es wollte ein Jägerlein spazieren gehn
   Im grünen Gras, im grünen Klee.

3. Und es setzte sich ein Mädchen darunter hin
   Und sie weinte so bitterlich, sie weint so sehr.

4. Und da kam ein gar lustiges Jägerlein
   Und er fragte sie, warum sie so traurig sei.

5. "Hat sie Vater oder Mutter krank,
   Oder hat sie heimlich einen Mann?"

6. "Mein vater und Mutter sind nicht krank,
   Und heimlich habe ich keinen Mann.

7. Gestern war's sechs Wochen über sieben Jahr,
   Dass mein Herzallerliebster ausgewandert war."

8. "Und was hat sie ihm gewuschen über dieser Zeit,
   Dass er sie verlassen hat?"

9. "Ich habe ihm gewunschen so viel gute Zeit,
   Als Sandkörnlein in dem Meere sein."

10. Und was zog er von seinem Fingerlein?
    Ein Ringlein von rosarotem Gold so fein.

11. "Trockne ab, trockne ab deine Äugelein,
    Übers Jahr wirst du mein Weibchen sein!"

Es stand eine Lind' im tiefen Tal

Langsam
(M. M. ♩= 66)

Kol. Gnadental

1. Es stand ei-ne Lind am tie-fen Tal, war o-ben breit, war un-ten

schmal, dar-in saß ein ver-lob-tes Paar in ih-re letz-te Treu-e war.

Es stand eine Linde im tiefen Tal,
War oben breit und unten schmal.
Darunter sass ein verlornes Paar,
Sie Abschied nahmen auf sieben Jahr.

Und als die sieben Jahr um war'n,
Flecht sie sich Blümlein in die Haar'.
Als die Blümlein blühn jetzt weiss und rot,
Da kennt der Geliebte sein Lieb' nicht mehr.

A linden stood in the valley deep,
It was broad above and narrow below.
A forlorn couple sat beneath
and said farewell for seven years.

And when the seven years had passed,
the girl entwined her hair with flowers,
Now that they're blooming white and red,
the lover knows his love no more.

Muss doch ein jeder wissen

1. Muss doch ein jeder wissen,
   wo so viele Tränen fliessen,
   dass mein Herz so traurig ist.
   REF. Drum lebe, lebe wohl und vergiss mein nicht.

2. Auf dem Tanzplatz kannst du es sehen,
   wo so viele Damen stehen,
   die da glänzen heller als ein Licht. Drum lebe...

3. Vater und Mutter woll'n es nicht leiden,
   dass wir beieinander bleiben.
   Jetzt muss ich fort, wo's sicher besser ist. Drum

4. Kommen wir nimmermehr zusammen,
   so schreibe mir deinen Namen
   ins Buch des ewigen Lebens ein. Drum lebe.....

5. Auf dem Grabstein kannst du es lesen,
   dass ich bin dir stets treu gewesen,
   bis uns der Tod die Äuglein bricht. Drume lebe...

Ach Schatz, warum so traurig

Kol. Nikolaithal

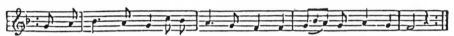

Ach, Schatz, warum so traurig,
Und red'st kein Wort mit mir?
Ich seh's an deinen Äuglein an,
Dass du geweinet hast.

Was soll denn ich nicht weinen
Und auch nicht traurig sein?
Ich trag wohl unterm Herzen
Ein kleines Kindelein.

Weg'n dem brauchst nicht zu weinen
Und auch nicht traurig sein:
Ich will das Kind ernähren,
Will selbst der Vater sein.

Ah, sweetheart, why such sadness,
And why don't you speak to me?
Your pretty eyes do tell me
That you've been weeping.

Why should I not weep
And not be full of sorrow?
For beneath my heart
I bear a little child.

There's no need to weep,
And no reason to rue:
For I shall rear the child
And be its father, too.

Wer lieben will, muß leiden

Kol. Dennewitz (Bess).

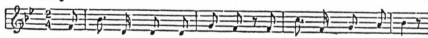

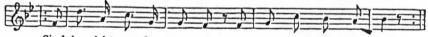

2. Die ich so gerne hätte,
Die ist mir nicht erlaubt,
Ein andrer steht zur Seite
Hat sie mir weggeraubt.

3. Vom Frühling bis zum Pfingsten
Dann ist die schönste Zeit,
Da paaren sich die Vöglein
Und auch die jungen Leut'.

(Nach der Niederschrift des Sängers.)

Stets in Trauern muß ich leben

Langsam
(M. M. ♩ = 60)

Kol. Teplitz (Bess).

1. Stets in Trau-ern muß ich le-ben und muß lei-den in Ge-
Und muß mei-nen Schatz auf-ge-ben, sag', wo-mit hab' ich's ver-

dult, und muß lei-den in Ge-dult,
schuldt, sag', wo-mit hab' ich's ver-schuldt?

2. Saßen nicht zwei Turteltauben
Droben auf dem grünen Zweig?
Standen nicht zwei Stern am Himmel
Leuchtend heller als der Mond?

3. Wo sich zwei Verliebte scheiden,
Muß verwelken Gras und Kraut.
Gras und Kraut, das muß verwelken,
Aber treue Liebe nicht.

4. Schatz, Du gehst mir aus den Armen,
Aber aus dem Herzen nicht.

. . . .

(Nach der Niederschrift des Sängers.)

In einem kühlen Grunde

Kol. Alt-Postthal (Bess).

Langsam
(M. M. ♩. = 54)

1. In ei-nem küh-len Grunde, da geht ein Müh-len-rad; mein Liebchen

ist verschwunden, das dort ge-woh-net hat, mein Lieb-chen ist ver

schwunden, das dort ge-woh-net hat.

2. Sie hat mir Treu versprochen,
Gab mir 'nen Ring dabei;
:|: Sie hat die Treu gebrochen,
Das Ringlein sprang entzwei. :|:

3. Ich möcht' als Spielmann reisen
Wohl in die Welt hinaus,
:|: Und singen meine Weisen
Und gehn von Haus zu Haus. :|:

Tränen hab ich viele vergossen

Text preserved by Balthasar L. Heit

Aus Kolonie Mannheim

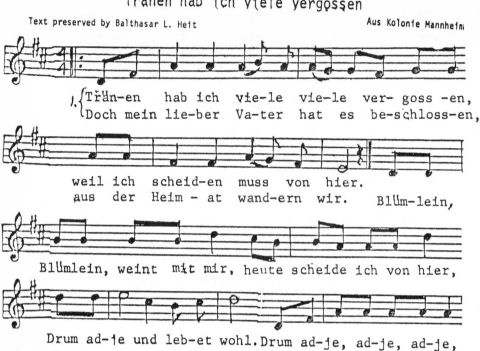

1. Trän-en hab ich vie-le vie-le ver-goss-en,
   Doch mein lie-ber Va-ter hat es be-schloss-en,

weil ich scheid-en muss von hier.
aus der Heim-at wand-ern wir. Blüm-lein,

Blümlein, weint mit mir, heute scheide ich von hier,

Drum ad-je und leb-et wohl. Drum ad-je, ad-je, ad-je,

drum ad-je, ad-je, ad-je, drum ad-je und lebet wohl!.

Notation by Prof. Samuel Hicks

1. Tränen hab ich viele, viele vergossen,
   Weil ich scheiden muss von hier;
   Doch mein lieber Vater hat es beschlossen,
   Aus der Heimat wandern wir.
   Heimat, heute wandern wir,
   Heut auf ewig von dir,

   Drum ade, so lebet wohl!
   Drum ade, ade, ade,
   Drum ade, ade, ade,
   Drum ade, so lebet wohl!

2. Lebet wohl, ihr meine Rosen im Garten,
   Und ihr, meine Blümelein!
   Darf euch nicht weiter pflegen und warten,
   Denn es muss geschieden sein!
   Liebe Blümlein, weint mit mir,
   Heute scheide ich von hier.
   Drum ade, so lebet wohl! usw.

I've wept many, many tears
Since I must part from here;
But my father has decided
That we leave our homeland.
Homeland, today we shall leave you,
Today we leave forever,

So goodbye and farewell!
So adieu, adieu, adieu,
So adieu, adieu, adieu,
So adieu, adieu, adieu,

Farewell, you roses in the garden,
And you, my little flowers!
I can tend and keep you no longer,
For we now have to part!
Dear flowers, weep with me,
Today I'm leaving here.
So goodbye and farewell! etc.

3. Lebe wohl! so ruf' ich traurig hernieder,
   Ruf's vom Berg' hinab ins Tal.
   Heimat, Heimat, seh' ich dich nimmer
      wieder?
   Seh' ich dich zum letzten Mal?
   Dunkel wird es rings umher,
   Und mein Herz ist mir so schwer!
   Drum ade, so lebet wohl! usw.

Farewell! I call out sadly,
Call it down from hill to vale.
Homeland, shall I again see you,
Or is this the last time?
It's growing dark around me,
And my heart is heavy!
   So goodbye and farewell! etc.

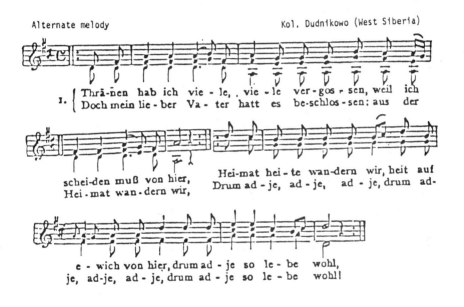

Alternate melody

Kol. Dudnikowo (West Siberia)

1. { Thrä-nen hab ich vie - le, . vie - le ver-gos - sen, weil ich
     Doch mein lie - ber Va - ter hatt es be-schlos - sen: aus der

schei-den muß von hier,   Hei-mat hei - te wan-dern wir, heit auf
Hei - mat wan-dern wir,   Drum ad-je, ad-je, ad-je, drum ad-

e - wich von hier, drum ad - je so le - be wohl,
je, ad-je, ad - je, drum ad - je so le - be wohl!

Hamburg ist ein schönes Städtchen

Kolonie Mannheim

1. Hamburg ist ein schön-es Städt-chen, weil es an der El-be liegt. Da-rin da gibt es schön-e Mädi-chen, gibt es schön-e Mädi-chen, aber kein-e Jungfrau nicht. Und es fällt mir so schwer von-ein-ander zu gehn, wenn die Hoffnung nicht wär, bis aufs Wieder-wieder-sehn. Lebet wohl, le-bet wohl, le-bet wohl, le-bet wohl Le-bet wohl bis auf's Wie-der - sehn!

Text preserved by Balthasar L. Heit

Notation by Prof. Samuel Hicks

1. Hamburg ist ein schönes Städtchen,
Weil es an der Elbe liegt
Darinnen gibt's auch schöne Mädchen,
Aber keine Jungfrau nicht.
:‖: Und es fällt mir so schwer
Auseinander zu geh'n;
Wenn die Hoffnung nicht wär
Auf ein Wieder-Wiederseh'n.
Lebet wohl, lebet wohl,
Lebet wohl bis auf's Wiederseh'n! :‖:

Hamburg is a lovely town
Situated on the Elbe.
In it there are such pretty girls,
But not a virgin to be found.
:: And I find it so hard
To take leave of you;
If there were no hope
Of seeing you again.
Farewell, farewell,
Farewell till we meet again!

2. Es sassen zwei Turteltäubchen,
   Sie sassen beid' auf einem Ast.
   Wenn zwei Verliebte müssen scheiden,
   Dann verwelket Laub und Gras. Refr.

Two turtledoves were sitting,
Both sitting on one branch.
When two lovers have to part,
Leaves and grass fade and die. Ref.

3. Laub und Gras, das tut verwelken,
   Aber meine Liebe nicht.
   Dort draussen singen schon die Vögelein
   Im dunklen, grünen Wald. Refr.

Leaves and grass will fade and wither,
But not my love for you.
Out there the birds are singing
In the dark green wood. Ref.

Alternate Melody

Ham-burg ist ein schö-nes Städt-chen, sieh-ste wohl!

Weil es an der El-be liegt, sieh-ste wohl!

Dar-in gibt's viel schö-ne Mäd-chen, vie-le

Mäd-chen, ja zum Lie-ben, ja zum Lie-ben, a-ber

Hei-ra-ten nicht. Ach es ist ja so

schwer aus-ein-an-der zu gehn, wenn die Hoff-nung nicht

wär auf ein Wie-der-wie-der-sehn. Le-be

wohl, le-be wohl, le-be wohl, le-be

wohl! Le-be wohl, auf Wie-der-sehn!

Wanderlied

1. Lau - e Lüf - te fühl ich we - hen, gold - ner Früh -
Nach der Fer - ne geht mein Stre - ben, rei - chet mir

ling strahlt her - ab.
den Wan - der - stab! Wo die weis - sen Ne - bel

stei - gen um der blau - en Ber - ge Rei - gen, dort - hin

geht mein Weg hin - ab! Rei - chet mir den Wan - der - stab!

1. Laue Lüfte fühl ich wehen,
   Goldner Frühling strahlt herab.
   Nach der Ferne geht mein Streben,
   Reichet mir den Wanderstab.
   Wo die weissen Nebel steigen
   Um der blauen Berge Reigen,
   Dorthin geht mein Weg hinab!
   Reichet mir den Wanderstab!

I feel the gentle breezes swaying,
A golden spring beams down again;
To distant lands my soul is straying,
Hand me now my wand'ring cane.
Where the white mists are soaring
Round the deep blue mountains,
There leads my downward path,
Hand me the wand'ring cane.

2. Lebe wohl! Ich muss dich lassen,
   Mein geliebtes Vaterhaus,
   Muss das fremde Glück erfassen,
   Hoffend schaut mein Blick hinaus!
   Leben quillt aus tausend Bronnen,
   Frisch gewagt, ist halb gewonnen!
   Gläubig zieht der Wandrer aus:
   Lebe wohl, mein Vaterhaus!

Fare well! I must leave you,
My beloved father's house,
I must seek my fortune far,
My eyes are bright with hope.
Life flows from a thousand springs,
Boldly ventured is half won!
Full of faith the wanderer parts,
Farewell, my father's house.

Text preserved by Balthasar L. Heit

Kol. Mannheim

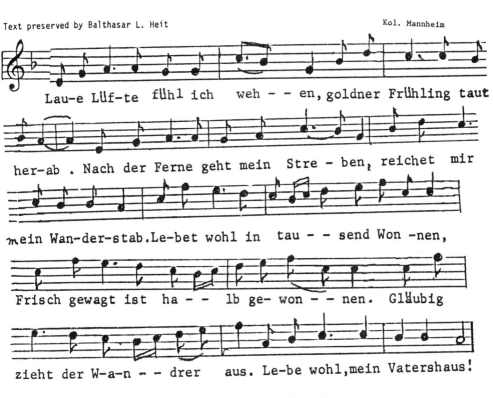

Lau-e Lüf-te fühl ich weh - - en, goldner Frühling taut
her-ab . Nach der Ferne geht mein Stre - ben, reichet mir
mein Wan-der-stab. Le-bet wohl in tau - - send Won -nen,
Frisch gewagt ist ha - - lb ge- won - - nen . Gläubig
zieht der W-a-n - - drer aus. Le-be wohl, mein Vatershaus!

Notation by Lambert Laturnus
and Prof. Samuel Hicks

What you have inherited from your forebears,
Acquire it and make it your possession.
                              —GOETHE

Ach, bleib bei mir

Text von W. Sternau (1851)

Melodie von A. Wagner

1. Wie die Blüm-lein draus-sen zit-tern und die A-bend-lüf-te
   Und du willst mein Herz ver-bit-tern und du willst schon wie-der

wehn!
gehn?   Ach, bleib bei mir und   geh nicht fort, an

mei-nem   Her-zen ist der schön-ste   Ort,   Ort.

1. Wie die Blümlein draussen zittern,
   Und die Abendlüfte weh'n!
   Und du willst mir's Herz verbittern
   Und du willst schon von mir gehn?
   :|: Ach, bleib bei mir und geh nicht fort,
   In meinem Herzen ist der schönste Ort. :|:

2. Hab' geliebt dich ohne Ende,
   Hab' dir nichts zu leid getan,
   Und du drückst mir stumm die Hände
   Und du fängst zu weinen an!
   :|: Ach, meine nicht und geh nicht fort,
   In meinem Herzen ist der schönste Ort. :|:

3. Ach da draussen in der Ferne
   Sind die Menschen nicht so gut,
   Und ich geb' für dich so gerne
   All mein Leben und mein Blut.
   :|: Ach, bleib bei mir und geh nicht fort,
   In meinem Herzen ist der schönste Ort. :|:

4. Und du willst nun von mir scheiden,
   Willst mich lassen ganz allein?
   Doch ich trage meine Leiden,
   Lebe wohl, gedenke mein!
   :|: Ach, geh nicht fort und bleib bei mir,
   In meinem Herzen ist die Himmelstür. :|:

How the flowers yonder tremble,
And the evening breezes blow!
And you want to embitter my heart,
And you want to leave me now?
:|: O stay with me, don't go away,
In my heart is the finest place. :|:

I've loved you true without end,
I've never caused you any grief;
Silently you press my hands
And you begin to weep!
:|: O do not cry, don't go away,
In my heart is the finest place. :|:

Ah, out there in distant places,
People will not be so good,
And for you I'd gladly give
All my life, my very blood.
:|: O stay with me, don't go away,
In my heart is the finest place. :|:

And now you want to part from me,
Want to leave me all alone?
But I'll bear all my grief,
Farewell then, and think of me!
:|: O do not go, but stay with me,
In my heart is the door of Heaven. :|:

Morgen marschieren wir

Kolonie Baden

1. Mor - gen mar - schie - ren wir zu den Bauern ins

Nacht-quar-tier. Ei-ne Tasse Tee, Zuk-ker und Kaffee,

ei - ne Tas-se Tee,— Zuk-ker und Kaf-fee und ein

Gläs - chen Wein,— und ein Gläs - chen Wein.

2. Morgen marschieren wir zu den Bauern ins Nachtquartier.
[: Wenn ich werde scheiden, wird mein Mädchen weinen :] [: und
traurig sein. :]

3. Mädchen, geh du nach Haus, denn die Glocke hat schon zehn
geschlagen aus. [: Geh und leg dich nieder und steh morgen
wieder :] [: beiseiten auf. :]

4. Mädchen, ich liebe dich, heiraten aber kann ich dich nicht.
[: Wart nur noch ein Jahr, dann wird's werden wahr, :] [: daß
wir werden ein Paar. :]

Wenn wir marschieren

Ländlerzeitmass   Volksweise

1. Wenn wir mar - schie - ren, zieh'n wir zum deut-schen Tor hin - aus, Schwarz-brau - nes Mä - del, du bleibst zu Haus. Da-rum mein Mä-del, Mä-del, wink, wink, wink! Un - ter ei - ner grü - nen Li-a - lind' Sitzt ein klei -ner Fink, Fink, Fink, Singt nur im-mer: Mä-del wink! Da-rum mein

2. Der Wirt muss borgen, er soll nicht rappelköpfig sein,
   Sonst kehr'n wir morgen beim andern ein.
   Darum . . .

3. Des Wirtes Tochter, die trägt ein blaukariertes Kleid,
   Sie trägt das Blaue zum Zeitvertreib.
   Darum . . .

4. Weg mit den Sorgen, weg mit der Widerwärtigkeit!
   Schwarzbraunes Mädel, du wirst mein Weib!
   Darum . . .

Text preserved by Balthasar L. Heit

Aus Kolonie Mannheim

Wenn wir abreisen,
Reisen wir zum oberen Tor hinaus;
Und du, mein Schätzchen,
Du bleibst zu Haus.
:: Darum singt mein Maidel,
    Fink- ink- ink,
    Unter einen grünen Lind, Lind, Lind
    Sitzt ein Vogel Fink und singt;
    Mein Maidel winkt. ::

Schatz, im Rosengarten [4]
Da wollen wir lustig sein;
Woll'n einander aufwarten
Mit Bier und Wein. Darum usw.

Dann wollen wir sprechen
Manch angenehmes Wort;
Wollen Röslein brechen.
Adje, ich reis' fort! Darum usw.

Und das Lied geht zu Ende
Und es schlägt der letzte Glockenschlag;
Darum Schatz, reich mir deine Hände
Zum letzten Mal. Darum usw.

When we depart
We'll go out the upper gate,
And you, my sweetheart,
Will stay at home.
:: And so my girl sings, pink-pink-pink;
    Beneath a green linden tree
    Sits a finch and sings;
    My girl waves to me. ::

Darling, in the rose garden
We will be merry
And treat ourselves
To beer and wine. And so, etc.

Then we'll exhange
Many a pleasant word;
We'll gather roses.
Adieu, I must depart! And so, etc.

And the song now ends,
The last bell now chimes;
So, darling, give me your hands
For the last time. And so, etc.

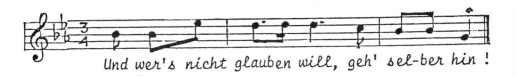

Und wer's nicht glauben will, geh' sel-ber hin!

Morgen will mein Schatz verreisen

Kolonie Mannheim

1. Mor-gen will mein Schatz ver-rei-sen, (sieh-ste wohl) Ab-schied einige nehmen mit Ge-walt, (sieh-ste wohl) drau-ßen singen schon die Vö-gel, sin-gen schon die Vö-gel in dem dun-kel-grü-nen einige Wald. (sieh-ste wohl) Ach es ist ja so schwer, aus der Hei-mat zu gehn, wenn die Hoff-nung nicht wär auf ein Wie-der-wie-der-sehn. Le-be wohl, le-be wohl, le-be wohl, le-be wohl, le-be wohl auf Wie-der - sehn.

2. Saßen da zwei Turteltauben (siehste wohl), saßen auf 'nem grünen Ast (siehste wohl). Wo sich zwei Verliebte scheiden, zwei Verliebte scheiden, da verwelken Laub und Gras (siehste wohl). Ach es ist usw.

3. Laub und Gras, das mag verwelken (siehste wohl), aber unsre Liebe nicht (siehste wohl). Du, du kommst mir aus den Augen, kommst mir aus den Augen, aus dem Herzen kommst du nicht (siehste wohl). Ach es ist usw.

Schatz, reise nicht so weit

1. 'Schatz, ach Schatz, rei = se nicht so weit von hier: im Ro=sen = gar = ten will ich dein war=ten, im grü=nen Klee, im wei=ßen Schnee.'

2. [: Mich zu erwarten, das brauchst du ja nicht. :] [: Geh zu den Reichen, zu deinesgeidieu! Mir eben recht, mir eben recht. :]

3 [: Soldatenleben, ei das heißt lustig sein. :] [: Da trinken die Soldaten zum Schweinebraten Champagnerwein, Champagnerwein. :]

4. [: Soldatenleben, ei das heißt traurig sein. :] [: Wenn andre schlafen, dann muß er wachen, muß Schildwach stehn, Patrouille gehn. :]

5. [: Patrouille gehn, ja das brauchst du ja nicht. :] [: Wenn dich die Leute fragen, so sollst du sagen: Schatz, du bist mein und ich bin dein. :]

Alternate melody

1. Schatz, mein Schatz, rei-se nicht so weit von mir. Im Ro-sen- gar - ten will ich dei-ner war - ten im grü-nen Klee, — Im wei-ßen Schnee. Im

O Strassburg, du wunderschöne Stadt

Courtesy of Joseph Lefftz, Elsässische Volkslieder (1975)

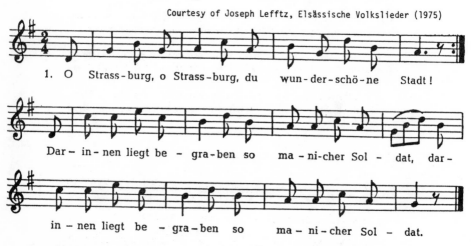

1. O Strass-burg, o Strass-burg, du wun-der-schö-ne Stadt!

Dar-in-nen liegt be-gra-ben so ma-ni-cher Sol-dat, dar-

in-nen liegt be-gra-ben so ma-ni-cher Sol-dat.

2. *So mancher und schöner,*
Auch tapferer Soldat,
Der Vater und lieb Mutter
Böslich verlassen hat.

Many a handsome and brave
Young soldier,
Who cruelly has forsaken
His father and dear mother.

3. *Verlassen, verlassen,*
Es kann nichts anders sein.
Zu Strassburg, ja zu Strassburg,
Soldaten müssen sein.

Forsaken, forsaken,
That's how it must be,
At Strassburg, at Strassburg,
There must be soldiers.

4. *Der Vater, die Mutter*
Die ging'n vor's Hauptmanns Haus:
"Ach Hauptmann, lieber Hauptmann,
Gebt uns den Sohn heraus."

The father, the mother
Went to the captain's house:
"O captain, dear captain,
Give us back our son."

5. *"Euern Sohn kann ich nicht geben,*
Für noch so vieles Geld.
Euer Sohn, und der muss sterben
Im weiten, breiten Feld."

"Your son I cannot give you
For ever so much money.
Your son will have to die
In the field, far und wide."

6. *Im weit und breiten Feld,*
Wohl draussen vor dem Feind,
Wennschon sein schwarzbraun's Mädchen
So bitter um ihn weint.

In the far and wide field,
Out before the foe,
Even though his dark-brown girl
Weeps bitter tears of woe.

7. *Sie weinet, sie trauert,*
Sie klaget ach so sehr:
"Ade, Herzallerliebster,
Wir sehn uns nimmermehr."

She cries and she laments,
She grieves in utter pain:
"Adieu, my dearest sweetheart,
We'll never meet again."

Wenn ich gleich kein Schatz mehr hab'

Ruhig
(M. M. ♩ = 72)

Kol. Dennewitz (Bess)

1. {Wenn ichs gleich kein Schatz mehr hab', wenn ichs gleich kein Schatz mehr hab', werd'
Lauf das Gäß-lein auf und ab, lauf das Gäß-lein auf und ab wohl

schon wied'r ein fi - a - in - den, werd' schon wied'r ein fi - a - in - den.
bis an die Li - a - in - den, wohl bis an die Li - a - in - den.

2. :|: Und als ich an die Linde kam, :|:
:|: Stand's mein Schatz dane-a-eben. :|:
:|: „O Du mein herzliebster Schatz, :|:
Wo bist Du gewe-a-esen?" :|:

3. :|: „Bin gewesen in fremdem Land, :|:
:|: Hab' auch viel erfahren! :|:
:|: Hab' erfahren daß zwei junge Leut :|:
:|: Bei einander schlafen!" :|:

4. :|: „Bei mir schlafen darst Du wohl, :|:
:|: Aber nur in E-a-ehren." :|:
Alles, was zur Ehr gehört,
dart man nicht verwehren.

Es zogen drei Burschen

Kol. Teplitz (Bess,

1. Es zo-gen drei Burschen wohl ü - ber den Rhein ku-ku; bei ei - ner Frau Wir-tin da kehr-ten sie ein ku-ku. „Frau Wir-tin hat sie gut Bier und Wein, wo hat sie ihr schö-nes Töch-ter-lein?"

1. Es zogen drei Burschen wohl über den Rhein,
   :|: Bei einer Frau Wirten da kehrten sie ein. :|:
   "Frau Wirtin! hat sie gut Bier und Wein?
   :|: Wo hat sie iht schönes Töchterlein? :|:

2. "Mein Bier und Wein ist frisch und klar,
   :|: Mein Töchterlein liegt auf der Totenbahr." :|:
   Und als sie traten zur Kammer hinein,
   :|: da lag sie in einem schwarzen Schrein. :|:

3. Der erste, der schlug den Schleier zurück
   :|: Und schaute sie an traurigem Blick. :|:
   "Ach, lebtest du noch, du schöne Maid!
   :|: Ich würde dich lieben von dieser Zeit!" :|:

4. Der zweite deckte den Schleier zu
   :|: Und kehrte sich ab und weinte dazu:|:
   "Ach, dass du liegst auf der Totenbahr!
   :|: Ich hab dich geliebet so manches Jahr!" :|:

5. Der dritte hub ihn wieder sogleich
   :|: Und küsste sie auf den Mund so bleich. :|:
   "Dich lieb' ich immer, dich lieb ich noch heut,
   :|: Ich werde dich lieben in Ewigkeit! :|:

Untreue

Courtesy of Joseph Lefftz, Elsässische Volkslieder.

1. Jetzt kommt der Fei-er-a-bend, schläft al-les in Ruh, und ich weiss ja noch nicht, wo ich an-klo-pfen tu.

2. Ich klope an das Fenster
   Mit meinem goldnen Ring:
   «Schön Schätzelein, bist du drinnen,
   Komm zu mir geschwind!»

3. Das Mädchen war wachbar,
   Zog ein Röckelein an,
   Ging zu mir an das Fenster,
   Fing zu reden mit mir an.

4. «Was hört man, was spricht man,
   Schön Schätzelein, von dir?
   Hab gehört, du willst heiraten.
   Wie schwer fällt es mir!

5. Heirat nur, heirat nur,
   Du jungfrisches Blut!
   Aber du wirst noch viel erfahren,
   Was heiraten tut.

6. Der Apfel so sauer,
   Die Birnen so süss!
   Aber ich hab dich treu geliebet,
   Du weisst es für gewiss.

7. Denn ich hab dich treu geliebet,
   Aber jetzt und nimmermehr,
   Denn ich hab ja schon gesehen,
   Du gabst mir kein Gehör!»

8. O du Hübsche, o du Feine,
   Gib du mir es meinen Kranz!
   Unsere Liebe ist zerrissen,
   Wird nimmermehr ganz!

Das Lied des blinden Mannes*

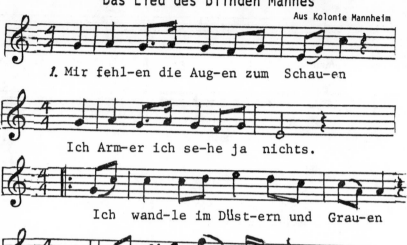

Aus Kolonie Mannheim

1. Mir fehl-en die Aug-en zum Schau-en

Ich Arm-er ich se-he ja nichts.

Ich wand-le im Düst-ern und Grau-en

Mir ist ja ge- nom - men das Licht

Text preserved by Balthasar Heit

Notation by Prof. Samuel Hicks

2. Wenn andern hell scheinet die Sonne
   und sieht alles rings um sich her,
   wie lebt der so glücklich, o Wonne,
   und o wie glücklich ist er!

3. Bei mir ist es lebenslang finster,
   ist immer Tag und Nacht gleich.
   Wenn ich mein Stückchen Brot esse,
   da bin ich zufrieden und reich.

4. Ich höre das Erdengetümmel,
   Ich höre und seh aber nichts.
   Bei mir ist es dunkel und schimmern,
   Ich bin ja benommen des Lichts.

5. Warum soll mich mein Schicksal verdriessen,
   Das Saitenspiel bringt mir mein Brot.
   Wenn andre die Augen zuschliessen,
   So öffnet die meinen der Tod.

---

* Blind Konrad, accompanied by a girl, wandered through the villages of the German
colonists in the Odessa area every year after harvest time.

In dem Leben da gibt es Tage

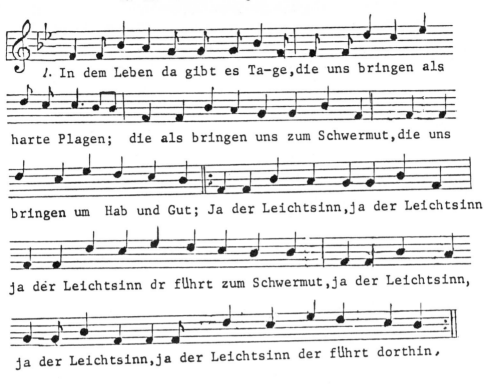

1. In dem Leben da gibt es Ta-ge, die uns bringen als

harte Plagen; die als bringen uns zum Schwermut, die uns

bringen um Hab und Gut; Ja der Leichtsinn, ja der Leichtsinn

ja der Leichtsinn dr führt zum Schwermut, ja der Leichtsinn,

ja der Leichtsinn, ja der Leichtsinn der führt dorthin,

Notierung von John M. Gross

2. Macht der Jüngling frohe Hochzeit
   Zum Vergnügen und Zeitvertreib.
   Dann kommen ja zum Vorschein
   Kleine Kinder hübsch und fein.
       :: Ja, der Leichtsinn, etc.

3. Fängt der Jüngling an zu trinken,
   Tut er gleich dem Schenkwirt winken.
   Hat er Geld, so trinkt er Brandwein,
   Spielt er Karten und geht nicht heim. Ja, der ...

4. Und am Ende aller Ende,
   tut er sich so sehr bedenken:
   Kleine Kinder haben grosse Not,
   Haben oft kein Stückchen Brot. Ja, der Leichtsinn...

Ich bin in Wien gewesst

Text preserved by Balthasar L. Heit

Kolonie Mannheim

1. Ich bin in Wien ge-wesst, hab mich um ge-schaut
wie das Wiener-städt-chen ist so schön ge-baut;
Da gibt's Kaf-fee-häuser, schön-e Maid-le drin--
Wer's nicht glaub-en will, geh sel-ber hin!
Tri-ra, mein Ann- che la la la, tri-ra mein
Ann-che-la-la-la! Tri -ra mein Ann-che-la-la-la!
Tri-ra, mein Ann-che - la !

Notation by John M. Gross

Reviewed by Prof. Samuel Hicks

Ich bin in Wien gewesst, hab mich 'rumgeschaut,
Wie das Wienerstädtchen ist so scheen gebaut;
Da gibt's Kaffee-Häuser, scheene Maidle drin,
Wer's nicht glauben will, gehe selber hin.
:|: Trira, mein Annchela-la-la :|:

I've been to Vienna and took a look around,
And saw the splendid buildings in the town.
There are coffeehouses, pretty girls within,
If you don't believe it, just go right in.

Unser Kaiser Franz von der Wienerstadt
Ist ein lustiger Bursch, wenn er gesoffene hat;
Sechsunddreissig Seidel saufl er jeden Tag
Und sein Lieschen küsst er jedes Mal.

Our Kaiser Franz from old Vienna town
Is a jovial chap when he has drunk a round
Each day he empties six-and-thirty steins
And kisses his Lieschen every time.

Wenn ich Kaiser wäre, tät ich so regieren,
Dass die junge Mädchen müssten exerzieren
Und die alten Weiwer in das Kloschter 'nein;
Wenn ich Kaiser wär, so müsst es sein.

If I were Kaiser, this is how I'd reign:
All the girls would have to drill and train
And older women go to the nunnery;
If I were Kaiser, that's how it would be.

Das Spinnrädle

Mäßig
(M. M. ♩ = 52)

Kol. Teplitz (Bess)

1. Ich bin ein ar-mes Mäd-chen, doch hab'ich fro-hen Sinn, an
ei-nem Spin-ne-räd-chen fließt mir mein Le-ben hin.

2. Oft nehme ich mein Rädchen
Und geh zur Nachbarin.
:|: Da plaudern dann wir Mädchen
Den ganzen Abend hin. :|:

3. So schwirre denn mein Rädchen,
Damit das Garn sich mehr;
:|: So sei und bleib uns Mädchen
Das Spinnrad lieb und wert. :|:

Pfeifchen, wer hat dich erfunden

Text preserved by Balthasar L. Heit

Kolonie Landau

Pfeifchen, wer hat dich er-fund-en, wem ver-dankst du dei-nen Ruhm? Wer hat dich so schön be-sung-en? Sag wa-rum, sag warum ist das ge-schehn? Ach wie schön, wie schön wie schön wie schön wie schön bist du, Marie! Ach wie schön wie schön bist du! Ach wie schön, wie schön bist du! Ach wie schön wie schön wie schön wie schön wie schön bist du Marie! Pa-la-ma-ros, Pa-la-ma-ros, Pa-la-ma-ros!*

Notation by Lambert Laturnus.

Reviewed by Prof. Samuel Hicks

1. Pfeifchen, wer hat dich erfunden?
Wem verdankst du dein Besteh'n?
Wohin ist dein Lob verschwunden?
Sag warum, ist das gescheh'n.

Little pipe, who invented you?
To whom do you owe your being?
Where has your fame vanished?
Tell me why that has happened.

2. Komm ich abends spät nach Hause
Und die Tür geschlossen ist;
Da nehm ich meine Pfeife und rauche,
Bis die Tür geöffnet ist. (Ref.)

When I come home late at night
And find the house door shut,
I take out my pipe and smoke
Until the door is opened up.

---

* The term "palamaros" remains obscure; so does an older variant "Pater malo."
It seems plausible that the original expression was: "Spanne mal los," for it
used to be the custom to hang (spannen) the tobacco leaves in the sun to be cured.

3. Alte Weiber wollen behaupten,
   Dass das Rauchen schädlich sei;
   Ei, da wollen wir's probieren,
   Ob das Rauchen schädlich sei. (Ref.)

Old women oftentimes claim
That smoking is dangerous;
Oh, let's just try it, and see
What harm there's in it for us.

4. Lieg ich auf mei'm Sterbebette,
   Tritt der Tod an mich heran,
   Da leg ich meine Pfeif zur Seite,
   Denn das Rauchen schmeckt nicht mehr.

When I'm on my bed a-dying,
And Death stands at the door,
I shall put my pipe aside,
For smoking doesn't taste anymore.

M. M. ♪ = 138. **Ei, wie geht's im Himmel zu** Kolonie Selz

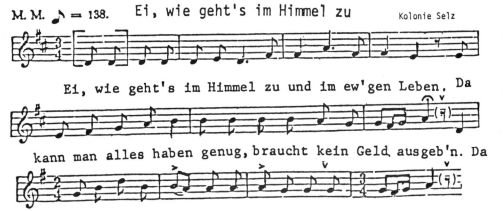

Ei, wie geht's im Himmel zu und im ew'gen Leben. Da
kann man alles haben genug, braucht kein Geld ausgeb'n. Da
kann man alles borgen, braucht nicht fürs Zahlen sorgen.

1. Ach, wie geht's im Himmel zu
   und im ew'gen Leben?
   Alles kann man haben genug,
   braucht kein Geld ausgeben.
   Alles kann man borgen,
   braucht nicht für's Zahlen sorgen.

Oh, what will things be like
in heaven and life eternal?
One can have most anything
and need not pay out money.
One can borrow everything,
nor fret about repaying.

2. Fällt im Himmel ein Festtag ein,
   viel Speisen sind zu wählen.
   Petrus geht in den Keller 'nei,
   tut den Wein bestellen.
   David spielt die Harfe,
   Ulrich brat den Karpfen;
   Katharina backt Küchle fein,
   Elisabeth tut's Fett hinein.
   Susanna und Dorothee
   Um den Herd rumstehen,
   die Speise zu besehen.

When there's a feast day in Heaven,
We eat what we desire.
Peter goes into the cellar
and orders up the wine.
David plays the harp,
Ulrich roasts the carp;
Kathrine bakes fine cookies,
Elisabeth puts in the butter.
Susanna and Dorothea
are standing at the hearth,
attending to the cooking.

3. *Lorenz hinter der Küchentür*
tut sich auch bewegen;
er tritt mit seiner Pfann hervor,
hat Leberwurst drauf liegen.
Joseph stellt das Essen vor,
Cecilia spielt die Musik vor.
Wir tun uns amüsieren,
den Braten uns tranchieren.

Lawrence behind the kitchen door
is also keeping busy;
he emerges with his pan
full of liversausage.
Joseph comes to serve the food,
Cecilia starts to play the music.
We amuse ourselves a lot
in carving up the roast.

4. *Der Petrus auf dem Schimmel reit't,*
er läßt ihn paradieren.
Der Martin ist auch schon bereit,
ihn vor die Kutsch zu führen.
Ei, wären wir nicht Narren,
wenn wir nicht täten fahren,
Ross und Kutsche lassen stehen,
um noch einmal zu Fuss zu gehen?

Peter rides his snow-white horse,
he lets it stride and prance.
Martin now is ready quite
to hitch it to the coach.
Would we not be fools,
if we did not take a ride,
letting coach and horse now stand,
to go on foot again?

Aus isch 's Liedele

1. Aus - un aus isch's Lie - de - le,
dri - o, dri - o; dri - o - la, wär ich
bei mei'm Lie - we - le, dri - o, dri - o - la.

2. 'Wärst du gestern abend kommen,
Hätt'st du einen Kuß bekommen.'

3. "Einen Kuß doch nicht allein,
Das Mädchen will geliebet sein."

4. 'Ei, so lieb' die ganze Nacht,
Liebe, daß die Bettlad kracht.'

Wir sitzen so fröhlich beisammen

Da sit-zen wir so fröh-lich beisamm- en

Und wir ha - ben ein - an -der so lieb.

Wir wünschen uns all-en das Le - ben;

Ach, wenn es nur im - mer so blieb !

Notierung von John M. Gross

1. Wir sitzen so fröhlich beisammen
   Und haben einander so lieb;
   Wir wünschen uns allen das Leben,
   Ei, wenn es nur immer so blieb!

   We're sitting so gaily together,
   And hold one another so dear.
   We wish us all a good life,
   Ah, if it only lasted forever!

2. Wie sollt es denn immer so bleiben
   Wohl unter dem wechselnden Mond?
   Der Krieg muss den Frieden vertreiben,
   Im Krieg wird keiner verschont.

   How could things always stay thus
   Under the changing moon?
   Ah, the war keeps driving out peace,
   In war no one is spared.

3. Da kamen die stolzen Franzosen,
   Wir Deutschen, wir fürchten uns nicht.
   Wir stehen so fest wie die Mauern,
   Wir wanken und weichen keinen Schritt.

   Then came the haughty Frenchmen,
   We Germans, we do not fear them.
   Oh, we'll stand as firm as a wall,
   We won't waver or retreat a step.

4. Napoleon, du Schustergeselle,
   Was sitzt du schön auf deinem Thron?
   Wärst du nur in Frankreich geblieben,
   Da hättest du den allerschönsten Lohn.

   Napoleon, you cobbler's apprentice,
   How nicely you sit on your throne!
   If you had just stayed in France,
   You'd have had the finest reward.

Die angenehme Sommerszeit

Die an-ge-neh-me Som-mers-zeit ist sel-ten

hier tep-lo, wir ha-ben zum Er-satz da-für

die Nächte durch swet-lo.

Die angenehme Sommerszeit
ist selten hier teplo![1]
Wir haben zum Ersatz dafür
die Nächte durch swetlo.[2]

Und kommt der liebe Sonntag bei,
dann sind wir alle froh;
Dann geht es auf der Eisenbahn
nach Zarskoye selo.

Von dort aus geht ein grader Strich
nach Pavlovski waksal,[3]
und unterwegs da hört man schon:
Tam slavni budyet bal![4]

Und kommt man auf die Station
so ruft die Menge: stoi![5]
Isvoshtchik podavai siuda[6]!
und fährt mit ihm domoi.[7]

---

1. warm
2. bright
3. railway station
4. 'there will be a beautiful ball'
5. 'stop.'
6. coachman, drive uo here!
7. home

Und wer sich dann betrunken hat,
der sagt sich selber: stoi !
und wer kein Geld zum Zahlen hat,
der fährt peshkom domoi.[8]

Und wenn der Mann nach Hause kommt,
so heisst's shená postoi![9]
und wenn er gleich den Schnaps verwischt,
kommt es wie chort domoi.[10]

Dann greift er in den Hosensack
und zieht das Geld hervor:
synotchik, ti stupai f kabák[11]
sonst gibt es einen spor.[12]

Und wenn das Weib das Maul nicht hält,
so heisst's shená, moltschi![13]
sonst wenn ich einen Prügel nehm,
wird dir's nicht wohl ergehn.

Und dir damit na spina dam[14]
shtuk dvatzat[15] an der Zahl.
so geht es halt uns shenshtchinam[16]
fast immer überall.

So geht's, wenn man geheirat hat,
so heisst's shená tierpi![17]
Da kriegt man auch noch Prügel satt
fast wie das liebe Vieh.

---

8. home on foot
9. woman, wait!
10. home like a devil
11. my son, go to the teavern!
12. fight
13. woman, be silent!
14. give on your back
15. twenty strokes
16. us women
17. woman, endure!

Spott auf die Handwerker

Aus südrussischen Kolonien

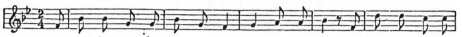

1. Wie machen's denn die Bau - ers-leut'? So ma-chen sie's: sie neh-men Krei-de

in die Hand und schrei-ben's doppelt an die Wand, so machen sie's, ja

so machen sie's.

1. *Wie machen's denn die Wirtsleut?:*
   :|: So machen sie's, ja so machen sie's :|:
   Sie nehmen Kreide in die Hand
   Und schreiben's doppelt an die Wand.
   :|: So machen sie's, ja so machen sie's :|:

   How do the innkeepers do it?
   :|: That's how they do it; yes, that's how :|:
   They take the chalk into their hand
   And double the tab on the wall.
   :|: That's how they do it; yes, that's how :|:

2. *Wie machen's denn die Müller?*
   Sie mahlen immer klipp klipp klapp,
   Die Hälfte geht in ihren Sack.

   How do the millers do it?
   They keep grinding clickety-clack,
   Half the flour goes in their sack.

3. *Wie machen's denn die Schmiede?*
   Sie schlagen immer bim bam bum
   Und schlagen alle Eisen krumm.

   How do the blacksmiths do it?
   They beat the anvil bim bam boom,
   And hammer all the irons crooked.

4. *Wie machen's denn die Schuster?*
   Sie nehmen ein Stück altes Ledder,
   Und klopfen es wie's Dunnerwedder.

   How do the cobblers do it?
   They take a piece of old leather
   And pound it like thunderation.

5. *Wie machen's denn die Brauer?*
   Sie nehmen ein bisschen Wasser warm,
   Das gibt ein Bier, das Gott erbarm.

   How do the brewers do it?
   They take some water, warm it well,
   The beer they make is awful swill.

6. *Wie machen's denn die Bauersleut?*
   Sie stellen den Pflug wohl in den Dreck
   und fahren dem Nachbars Eck eweg.

   How do the farmers do it?
   The leave their plow in the mud,
   And cut the neighbor's corner off.

7. *Wie machen's denn die Lehrer?*
   Wenig Lehre haben sie,
   Vieles Gelde magen sie.

   How do the teachers do it?
   They have but little learning,
   For bigger pay they're yearning.

8. *Wie machen's denn die Männer?*
   Abends gehn sie in die Schenk,
   Morgens liegen sie auf die Bänk.

   How do the menfolk do it?
   At night they go into the tavern,
   Next day they're lying on the bench.

9. Wie machen's denn die Weiber?
Gehen immer von Haus zu Haus,
Trätschen alle Ecklein aus.

10. Wie machen's denn die Burschen?
Abends gehn sie auf die Gass,
Morgens ist der Strohsack nass.

11. Wie machen's denn die Mädchen?
Abends lassen sie die Burschen 'rein,
Morgens woll'n sie Jungfern sein.

12. Wie machen's denn die Pfaffen?
Drehen das Brautpaar hin und her,
Sagen: leg drei Rubel her.

13. Wie machen's denn die Doktor?
Sie schicken d'Leut in d'ander Welt
Und nehmen von den Erbe 's Geld.

How do the womenfolk do it?
From house to house they go,
Spreading gossip to and fro.

How do the boys do it?
At eve they go out on the street,
In the morning the straw-sack's wet.

How do the girls do it?
At eve they let the fellows in,
Next day they would be virgins still.

How do the parsons do it?
They join the bridal pair with ease,
And say: three rubles are the fees.

How do the doctors do it?
They send the people, you know where,
And take the money from the heirs.

Die Zufriedenheit

Johann Martin Müller, 1776
Aus südrussischen Kolonien

Notierung von Dr. Stephan Gruss.

1. Was frag' ich viel nach Geld und Gut, wenn ich zu-frie-den bin! Gibt Gott mir nur ge-sun-des Blut, so hab' ich fro-hen Sinn und sing' mit dank-ba-rem Ge-müt mein Mor-gen- und mein A-bend-lied.

2. So mancher schwimmt im Überfluß,
Hat Haus und Hof und Geld
Und ist doch immer voll Verdruß
Und freut sich nicht der Welt.
Je mehr er hat, je mehr er will,
Nie schweigen seine Klagen still.

3. Da heißt die Welt ein Jammertal,
Und däucht mir doch so schön,
Hat Freuden ohne Maß und Zahl,
Läßt keinen leer ausgehn.
Das Käferlein, das Vögelein
Will sich ja auch des Maien freun.

Feierabend

Aus südrussischer Kolonie

1. Was ge-hört den al-ten Män-nern zum Fei-er-a-bend? zum
Fei-er-a-bend? Ei-ne Fla-sche Bran-te-wein und ein
Weiß-brod da-zu, das soll den al-ten Män-nern ih-ren Fei-er-a-bend
sein. Macht Fei-er-a-bend, macht Fei-er-a-bend!

1. Was gehört den alten Männern zum Feierabend?
Eine Flasche Branntewein und ein Weissbrot dabei.
Das soll den alten Männern ihren Feierabend sein.
Macht Feierabend, macht Feierabend!

What befits the old men for their evening leisure?
A bottle of brandy and some white bread with it.
That shall be the old men's evening pleasure.
It's leisure time, it's leisure time!

2. Was gehört den alten Weibern zum Feierabend?
Einen lausigen Pelz und ein Strumpf dabei,
Das soll den alten Weibern ihren Feierabend sein.
Macht Feierabend, macht Feierabend!

What befits the old women for their evening leisure?
A lousy fur coat and a stocking to boot.
That shall be the old women's evening pleasure.
It's leisure time, it's leisure time!

3. Was gehört den jungen Männern zum Feierabend?
Eine hübsche Dame in das Bett hinein,
Das soll den jungen Männern ihren Feierabend sein.
Macht Feierabend, macht Feierabend!

What befits the young men for their evening leisure?
A pretty damsel into their bed.
That shall be the young mens' evening pleasure.
It's leisure time, it's leisure time!

4. Was gehört den jungen Weibern zum Feierabend?
Eine Wiege vor das Bett und zwei Kinder hinein,
Das soll den jungen Weibern ihren Feierabend sein.
Macht Feierabend, macht Feierabend!

What befits the young wives for their evening leisure?
A cradle near the bed and two babies in it.
That shall be the young wives' evening pleasure.
It's leisure time, it's leisure time!

Aus ist's mit mir

1. Aus, aus, aus ist's mit mir, und mein Haus, Haus, Haus hat kein Tür, und die Tür, Tür, Tür hat kein Schloss, und vom Schät-zel bin ich los.

2. Als, als, als ich's los bin,
   Und so freut, freut, freut mich das Ding,
   Eine an- an- andere zu lieben,
   Das hab ich im Sinn.

3. Das, das hab ich im Sinn
   Und das kommt, kommt, kommt mir nicht draus,
   Und wenn ich mein', mein', mein', ich hab eine,
   So witscht sie mir aus !

Kol. Landau

1. Mein Haus ist mit - te mir und mein Dir; hatt kein Schlos, mein

Schözze - le bin ichs los, und weil ich das los - se bin, Freit mich das

gan - ze Ding, an - dre zu Li - ben, hab ichs im Sinn.

Zwei orndliche Leut

Aus südrussischer Kolonie

1. So wie wir zwei bei-den gibt's kei-ne nicht mehr, wir sind ja fi - delisch, der Geld-beu-tel ist leer. Wir ma-chen uns kein Sor-gen, wir ma-chen uns kein Leid, wir sind ja zwei ornd-li - che Leut'. Hei - di, hei - du, hei - da - la - la - la, hei - da - la - la - la, hei - da - la - la - la, hei - di, hei - du, hei - da - la - la - la, wir sind ja zwei ornd-li - che Leut'.

1. *So wie wir zwei beiden gibt's keine nicht mehr,*
   Wir sind ja fidelisch, der Geldbeutel ist leer.
   Wir machen uns keine Sorgen, wir machen uns kein Leid,
   Wir sind ja zwei odentliche Leut.
   :|: Heidi, heidu, hei-da-la-la-la, usw. :|:

   The likes of us two can't be found anywhere,
   We're always so jolly, our purses are bare.
   We never have worries, we make us no grief:
   We're two most respectable guys.
   :|: Heidi, heidu, hei-da-la-la-la, etc. :|:

2. *Ein rosiges Mädchen hat beide uns lieb,*
   Sie liebt mich so innig, sie herzt auch mit dir,
   Hast du sie des Morgens, so hab ich sie heut,
   Wir sind ja zwei ordentliche Leut.

   A pretty young girl is fond of us two,
   She loves me so deeply, she'll also caress you,
   If you have her mornings, I have her by day,
   We're two most respectable guys.

3. *Wir wohnen sechs Jahre in einem Haus,*
   Wir zahlen keine Zinsen und ziehen nicht aus.
   Das zahlen, das Trinkgeld, das hat bei uns Zeit.
   Wir sind ja zwei ordentliche Leut.

   We've been living six years in a house,
   We're paying no rental, nor do we move out.
   For paying and tipping we have lots of time.
   We're two most respectable guys.

4.Und sind wir gestorben, so werd'n wir begraben,
Ein'n Grabstein von Marmor müssen wir haben.
Darauf steht geschrieben, das ist unsre Freud:
Hier ruhen zwei ordentliche Leut.

And after we're dead we shall be buried,
And must have a tombstone of marble,
And written upon it, for us to enjoy:
Here lie two respectable guys.

5.Und kommen wir in Himmel, so klopfen wir an,
Der Petrus, der sieht uns von ferne schon nah'n
Und winkt uns mit dem Schlüssel, das ist meine Freud:
Kommt 'rein, ihr zwei ordentliche Leut.

And when we reach Heaven we'll knock at the door,
And Peter will see us approach from afar.
He'll wave us in with his key, that's our joy:
Come in, you two respectable guys.

Das Kanapee ist mein Vergnügen *

1. Das Kanapee ist mein Vergnügen,
   worauf ich mir viel Gutes tu.
   Darauf kann man vergnüglich liegen
   in stiller und in sanfter Ruh.
   Und tun mir alle Glieder weh,
   so leg ich mich aufs Kanapee.

2. Tut mich ein guter Freund besuchen,
   so soll er mir willkommen sein.
   Ich lad ihn ein auf einen Kuchen
   und auch auf ein Champnerwein.
   Wir heben die Gläser in die Höh
   und rufen: Viva Kanapee!

3. Könnt ich auf diesem Lager sterben,
   so soll der Tod willkommen sein.
   Ich kümmere mich um keine Erben
   und schlafe sanft und ruhig ein.
   Sie Seele schwingt sich in die Höh,
   der Leib bleibt auf dem Kanapee.

---

* An interesting folk song, but I have been unable to find
the music for it.

Schön ist die Jugend

Aus der Krim

1. Es blü-hen Ro-sen, es blü-hen Li-lien, es blüht ein
Blü-me-lein Ver-giß-mein- nicht. Drum sag ich's noch einmal: schön ist die
Ju-gendjahr, schön ist die Jugend, sie kommt nicht mehr. Ja ja sie kommt
nicht mehr, sie kommt ja nimmermehr, schön ist die Jugend, sie kommt nicht mehr.

1. Schön ist die Jugend bei frohen Zeiten,
   Schön ist die Jugen, sie kommt nicht mehr.
      Drum sag ich's noch einmal
      Schön ist die Jugendzeit,
      Schön ist die Jugend, sie kommt nicht mehr.
      Sie kommt, sie kommt nicht mehr,
      Kehrt niemals wieder her.
      Schön ist die Jugend, sie kommt nicht mehr.

2. Es blühen Rosen, es blühen Nelken,
   Es blühen Rosen, sie welken ab.. Drum sag ....

3. Und der Weinstock, der traget Trauben,
   Und daraus fliesset süsser Wein. Drum sag...

4. Man liebt die Mädchen bei frohen Zeiten,
   Man liebt die Mädchen zum Zeitvertreib. Drum ...

---

[1]) Notierung von Dr. Stephan Gruss.

Auf de schwäbsche Eisebahne

vor 1890

Lustig

1. Solo: Auf de schwäbsche Ei - se - bah - ne gibts gar vie - le Halt - sta - tio - ne: Schtue - gert, Ulm ond Bi - ber - ach, Me - cke - 'beu - re, Dur - les - bach. *Tru - la, tru - la, tru - la - la, tru - la, tru - la, tru - la - la,* Schtue - gert, Ulm ond Bi - ber - ach, Me - cke - beu - re, Dur - les - bach.

Alle:

2. Auf de schwäbsche Eisebahne
wollt emol a Bäuerle fahre,
geht an Schalter, lupft de Huet:
„Oi Billettle, seid so guet!"
Trula... geht an Schalter...

3. Einen Bock hat er si kaufet
und daß der ihm net verlaufet,
bindet en der guete Ma
an de hintre Wage na.
Trula...

4. „Böckle, tue nuer woidle springe,
's Fresse wer' i dir scho bringe.
Zündt sei stinkichs Pfeifle a,
hockt si zu sei'm Weible na.
Trula...

5. Wia der Zug no wieder staut,
d'r Bauer nach sei'm Goißbock schaut,
findt er bloß no 'n Kopf un 's Soil
an dem hintre Wagedoil.
Trula...

6. Da kriegt er en große Zore,
packt de Goißkopf bei de Ohre,
schmeißt en, was er schmeiße ka,
'm Konduktör an 'n Ranza na.
Trula...

7. So, jetz wär das Liadle g'songe.
Hot's eich reacht in d' Ohre klonge?
Wer's no net begreife ka,
fang's noemol von vorne a!
Trula...

Predsedatl isch gelehrt

Kolonie Landau

1. Pred - se - datl isch gelehrt, juch - hei - di, juch - hei - da. Weiss. wie man die Stube kehrt, juch - hei - di. hei - da. Wenn er jemand troffe hat, sagt er gleich: "Star - o - wa, brat!" juch - hei - di, hei di, hei - da, juch - hei - di, juch - hei - da, juch - hei - di, hei - di, hei - da, juch - hei - di, hei - da!

Predsedatl isch gelehrt,
Jucheidi, jucheida!
Weiss, wie man die Stube kehrt,
Jucheidi-heida!
Wenn er jemand troffe hat,
sagt er gleich: "Starowa, brat!"

Drunne kummt a Russl g'fahre
mit a Ruckawitza,
Hat a v'rissenes Blezl an:
"Eti nye goditza!"

Drunne kummt a Russl g'fahre
mit ere lange Droschke:
"Kudá jedesh!" — "Na basar
privesi kartoschki."

The mayor's learning is profound,
Jucheidi, jucheida!
He knows how to sweep the room,
Jucheidi-heida!
Whenever someone comes his way,
He greets him: "Brother, a good day!"

A little Russ comes driving by,
with a pair of gloves
and a tattered fur coat on.
"Now that'll never do!"

A little Russ comes driving by
in a big long drosky:
"Where you going!" "To the bazaar,
to buy me some potatoes."

Es ging ein Mädchen auf der Straße

Lustig
(M. M. ♩ = 92)

Kol. Nikolaithal

1. Es ging ein Mädchen auf der Stra-ße, na-nu, na-nu, na-nu, mit

Ih-rer lan-ge¹) Na-se, vi-di- ri, vi-di-ra, vi-di-ra-la-la,

mit Ih-rer lan-ge Na-se, ha, ha, ha, ha, ha, ha!

2. Sie sagt', sie hätt viel Gulde,...
   's warn aber lauter Schulde...

3. Sie sagt', sie tät viel erbe,...
   's warn aber lauter Scherbe...

4. Sie sagt', sie wär von Adel,...
   ihr Vater führt' die Nadel...

5. Sie sagt', sie könnt gut koche,...
   's war hart wie lauter Knoche...

6. Sie sagt', sie könnt schön tanze,...:
   ihr Rock war voller Franse...

7. Sie sagt', ich sollt sie küsse,...
   es brauchts niemand zu wisse...

8. Sie sagt', ich sollt sie nehme,
   bis daß der Sommer käme...

9. Der Sommer ist gekomme...
   ich hab sie nicht genomme...

10. Da ist sie hingegange,...
    und hat sich aufgehange...

11. Da bin ich hingeritte,...
    und hab sie abgeschnitte...

12. Der Winter ist gekomme,...
    da hab ich sie genomme...

Der Siebensprung

Kanon

Aus dem Elsass

Kannſch dŭ aͤu de Si - we - ne-ſprung,

Kannſch dŭ aͤu de

kannſch dŭ aͤu gŭet dan - ʒe, dan-ʒe wie ein

Si - wene-ſprung, kannſch dŭ aͤu gŭet dan - ʒe,

E - del - mann, dan - ʒe wie min

dan - ʒe wie ein E - del-mann,

Ich und mein junges Weib

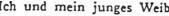

Frisch und lustig
(M. M. ♩. = 72)

Kol. Nikolaithal

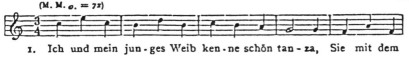

1. Ich und mein jun-ges Weib ken-ne schön tan-za, Sie mit dem

Bet-tel-sag, Ek mit dem Raun-sa. Schengt mir mahl ein! Schengt

mir mahl Bei-risch ein, Bei-risch mus lu-sig sein, bei-risch,

bei-risch, bei-risch mus sein.

Ich un mei junges Weib *kenne schee danze,* *sie mit'm Bettelsack,* *ich mit'm Ranze.*	I and my young wife can dance a fine step, she with the beggar's bag, I with the knapsack.
Alle scheene Mädele *danze mit Kosake;* *Wenn se mit danze fertig sinn,* *Henn se rote Backe.*	All the pretty girls dance with the Cossacks. When the dance is over, their cheeks are glowing red.
Hinterm Dorf uff'm Land *Bauere welle dresche.* *'s Mädel hat's Hemd verbrannt,* *dr Henker mag's lesche.*	In the field behind the village the farmers want to thresh; The girl has burned her skirt, may the devil douse it.

MÄDCHENTROST

'S isch noch nit lang, *Dass es g'regnet hat,* *Die Dächlein tropfen noch.* *Ich hab einmal ein Schätzl g'hatt,* *Ich wott ich hätt es noch.*	Not long ago it rained, The roof's still dripping wet; I used to have a sweetheart, I wish I had him yet.
'S isch g'wandert, 's isch g'wandert *Zum obere Dorf hinzue;* *Ich hab schon wieder e andre:* *'S isch a ein feiner Bua.*	He's wandered, he's wandered To the upper village. I've again found another, He's also a fine fellow.

✢✢✢✢✢

Karwe

Aus südrussischer Kolonie

1. Heit isch Karwe, morje isch Karwe,

bis am Mittwoch owed, wenn ich zu meim

Schätzel kumm, sag ich:'Guten O-wed,

2. Guten Owed, Lisabeth,
   Zeig m'r, wu dei Bettlad steht.
   "Hinnerm Offe an der Wand,
   *Kiechle backe isch ka Schand."

---

* The last line also had the version: *"Wu der Knecht die Hosse langt"*
(Where the servant reaches for his pants!), but both versions are
euphemistic variants of the plain-spoken original: *"Bei dir
liege isch ka Schand"*.

Kommt her und singt,
dass alles klingt,
was Freude bringt.
— Fritz Dietrich

Kehraus.

Aus dem Elsass

1. D'r Kehr-üs, d'r Kehrüs, die Maide gehn jetz heim,
un die, wü bra-vi Mai-de fin, die
könn-te lang fchon d'hei-me fin. D'r Kehr-üs, d'r
Kehr-üs, diä Mai-de gehn jetzt heim.

1. *Der Kehraus, der Kehraus,*
   Die Madle gehn jetzt haam;
   Un wenn se brave Madle wotte sein
   Kennte se schun lang dahaame sein.

The Sweep-out, the Sweep-out,
Now the girls are going home.
And had they really wanted to be good,
They'd have been home long ago.

2. *Der Kehraus! Der Kehraus! Der Hase schiesst ins Kraut!*
   Er fresst die grüne Blätter ab,
   Die gelbe fallen von selber ab!
   Der Kehraus! der Kehraus! Der Hase schießt ins Kraut!

(The Sweep-out! The Sweep-out! The hare runs to the cabbage!
He eats the green leaves up,
The yellow just drop off!
The Sweep-out! The Sweep-out! The hare runs in the cabbage!)

✳✳✳✳

Where there's singing, join the throng,

Evil people sing no songs.

Allerhand Vierzeiler

1. Bin's Bär-je-le nuf gan-ge, hab Stein-le uf-g'hebt, bin wall-fahr-te gan-ge zum Schätzel ins Bett. Ho-la-de-ri, ho-la-de-ra, ho-la-de-ri, ho-la ju-he!

2. D'r Hansel un 's Gretel
   sinn zwei brave Leut;
   D'r Hansel isch närrisch
   und 's Gretel nit g'scheit.

   Hansel und Gretel
   are a fine pair;
   Hansel's quite silly,
   and Gretl's not bright.

3. D'r Hansel hüt d' Ochse,
   die Gretel hüt d' Küh;
   D'r Hansel fresst d' Brocke,
   und Gretel sauft d' Brüh.

   Hansel tends the oxen,
   and Gretel the kine;
   Hans eats the morsels,
   and Gretel drinks brine.

4. Hansel und Gretel
   sinn zwei brave Leut,
   Hansel hat d'r Säwl
   und Gretel die Scheid.

   Hansel and Gretel
   are a fine pair;
   Hansel has the sabre,
   and Gretel the sheath.

5. *Ich hab e schee Schätzl,*
   Awwer reich isch es nit.
   Was batt mich dr Reichtum,
   Beim Geld schlof ich nit.

I have a nice sweetheart,
But she has no riches.
What good does wealth do me,
I don't sleep with the money.

6. *Was batt mich e scheener Apfel,*
   Wenn'r isch inwendig faul?
   Was batt mich's scheen Madel,
   Wenn's macht a saur's Maul?

What good is a pretty apple,
If it's rotten inside?
What good's a pretty girl
If she makes a wry mouth?

1. Du aanfäldiges Biewel
   Was bildsch du dir ein?
   Hasch nar a Paar Hessle
   Un die sinn nit dein.

2. Un willsch aa noch geh danze?
   Dir isch's g'wiss nit wohl!
   Dein Hosse henn Franze
   Un d'Schuh sinn nit g'sohlt.

Der Hof vun meinem Vadder
Un d'r Mudder ihr Geld,
Des hawwich versoffe
Uff d'r liddriche Welt.

Geh m'r nit iwwer mei Äckerle

Aus dem Elsass

Geh m'r nit iw-wer mei Äck-er-le, geh m'r mit

iw-wer mei Wies. Geh m'r nit zu mein-em

Schüt-ze-le, o - der ich prie-gel dich g'wiss!

Weisse Bliemle, rode Bliemle

Weis-se Bliemle, ro-de Bliem-le wachse an der Heck-e

Ma-del, wenn a Schmitzl witt, darfsch di nit verstecke.

Bei einem Wirte wundermild

Ruhig
(M. M. ♩ = 60)

Kol. Dennewitz (Bess).

1. Bei ei - nem Wir - te wun-der-mild, da war ich jüngst zu Ga-ste, ein goldner A-pfel war sein Schild an ei-nem lan-gen A - ste.

2. Es war der gute Apfelbaum,
bei dem ich eingekehret;
mit süßer Kost und frischem Schaum
hat er mich wohl genähret.

3. Es kamen in sein grünes Haus
viel leichtbeschwingte Gäste;
sie sprangen frei und hielten Schmaus
und sangen auf das beste.

4. Ich fand ein Bett zu süßer Ruh
auf weichen, grünen Matten;
der Wirt, er deckte selbst mich zu
mit seinem kühlen Schatten.

5. Nun fragt' ich nach der Schuldigkeit,
da schüttelt' er den Wipfel.
Gesegnet sei er allezeit
von der Wurzel bis zum Gipfel!

Ludwig Uhland

Der Winter ist gekommen

Langsam
(M. M. ♩ = 69)

Kol. Teplitz (Bess).

1. Der Win - ter ist ge - kom - men mit sei - nem wei-ßen Kleid, hat Blu-men uns ge - nom-men, den Gar-ten zu - ge-schneit, Gar-ten zu - ge-schneit.

2. Nun holen wir den Schlitten;
wollt ihr gefahren sein?
So müßt ihr uns schön bitten,
dann setzt euch nur hinein!

Der Mai ist gekommen

Schnell

Emanuel Geibel, 1841

1. Der Mai ist gekommen, die Bäume schlagen aus,
   Da bleibe, wer Lust hat, mit Sorgen zu Haus.
   Wie die Wolken dort wandern am himmlischen Zelt,
   So steht auch mir der Sinn in die weite, weite Welt.

2. Frisch auf d'rum, frisch auf d'rum im hellen Sonnenstrahl,
   Wohl über die Berge, wohl durch das tiefe Tal.
   Die Quellen erklingen, die Bäume rauschen all,
   Mein Herz ist wie 'ne Lerche und stimmet ein mit Schall.

3. Und abends im Städtlein, da kehr ich durstig ein:
   "Herr Wirt, mein Herr Wirt, eine Kanne blanken Wein!"
   Ergreife die Fiedel, du lust'ger Spielmann du,
   Von meinem Schatz, das Liedel, das singe ich dazu.

O, wie ist es kalt geworden

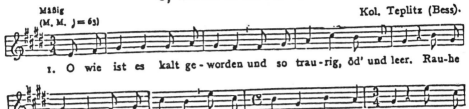

Mäßig
(M. M. ♩ = 63)

Kol. Teplitz (Bess).

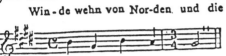

1. O wie ist es kalt ge-worden und so trau-rig, öd' und leer. Rau-he

Win-de wehn von Nor-den. und die Son-ne scheint nicht mehr, und die

Son-ne scheint nicht mehr.

O *wie ist es kalt geworden*
Und so traurig, öd und leer.
Rauhe Winde wehn von Norden
Und die Sonne scheint nicht mehr.

Auf die Berge möcht ich wieder,
Möchte seh'n ein grünes Tal.
Möcht in Gras und Blumen liegen
Und mich freu'n im Sonnenstrahl.

Lieber Frühling, komm doch wieder,
Lieber Frühling, komm doch bald!
Bring uns Blumen, Laub und Lieder,
Schmücke wieder Feld und Wald!

O how cold it has become,
And so sad, empty, and drear.
Raw winds blow from the north
And the sun shines no more.

I'd like to climb the hill-tops
And see a green vale.
I'd like to lie in grass and flowers,
And enjoy the sun's rays.

Dear Spring, come back again,
Dear Spring, come back soon,
Bring us flowers, leaves, and songs,
Adorn the fields and woods again!

Christkindele, Christkindele,
Kumm du zu uns herein!
M'r henn a frisch Heubindele
Un aa a Gläsele Wein.
A Bindele far's Esele,
Far's Kindele a Gläsele,
Un bëte könne m'r aa!

Kriskringel, Kriskringel,
Come to visit us!
We have a bundle of fresh hay,
And also a glass of wine.
The bundle's for the donkey,
The glass for the Kriskringel;
We also know our prayers.

Neujahrslied — Kol. Nikolaithal (Chersson)

Vorsänger:

1. Ei-nen schönen guten Abend, eine fröhliche Zeit, die

uns der Herr-gott hat be-reit't.

Alle:

Die Gei-gen, die
Die Gei-gen, die

klin-gen, wir jün-gen Burschen sin - gen.
klin-gen, wir jun-gen Leut' sind da!

2. Wir wünschen dem Hausherrn
   eine Kanne mit Wein;
   das soll dem Herren sein Neujahr sein.
   Die Geigen, die ...

3. Wir wünschen der Hausfrau
   eine goldene Kron
   und aufs andere Jahr einen strammen Sohn.
   Die Geigen, die ...

4. Wir wünschen dem Knecht
   eine Schaufel in die Hand,
   daß er den Stall ausmisten kann.
   Die Geigen, die ...

5. Wir wünschen der Magd
   eine kupferne Kann'
   und in diesem Jahr einen schönen Mann.
   Die Geigen, die ...

6. Liebe Leut, liebe Leut,
   wir danken auch sehr.
   Nun ziehen wir weiter
   Hinterm Brummtopf her!

Jetzt ist die Zeit und Stunde da

1. Jetzt ist die Zeit und Stun-de da, wir rei-sen nach A - me-ri-ka. Die Wa-gen stehn schon vor der Tür, mit Weib und Kind mar-schie-ren wir.

2. Die Pferde sind schon eingespannt,
   wir ziehen in ein fremdes Land.
   Und wenn das Schiff auf See erst schwimmt,
   dann wird ein Liedlein angestimmt.

3. Jetzt sind wir in das Land gekommen
   und heben unsre Händ empor.
   Und rufen aus: Viktoria !
   jetzt sind wir in Amerika.

Migratio Palatinorum
Stch Pfältzsche Exulanten

Nach Sibirien muss ich reisen

Nach Si - bi - ri - en muß ich jetzt rei-sen,
Schwer be - la-den mit skla-vi-schen Ei-sen,

muß ver - las - sen die blü-hen-de Welt.
har-ret mei-ner nur E-lend und Kält.

O Si - bi-rien, du eis-kal-te Zo-ne,

wo kein Schif-fer die Flu-ten durchzieht, wo kein

Fun-ken der Menschheit mehr wohnet und das

Aug kei-ne Ret-tung mehr sieht.

Nach Sibirien muß ich jetzt reisen,
muß verlassen die blühende Welt.
Schwer beladen mit sklavischem Eisen,
harret meiner nur Elend und Kält.
O Sibirien, du eiskalte Zone,
wo kein Schiffer die Fluten durchzieht*,
wo kein Funken der Menschheit mehr wohnet,
und das Aug keine Rettung mehr sieht.

To Siberia I now must journey,
Leaving behind the flowering world.
Heavily burdened with slavish chains,
I expect only misery and cold.
O Siberia, you icy domain,
Where no zephyr gladdens the meadows,
Where no spark of humanity glows,
And the eye sees no salvation.

Von den Meinen gewaltsam entrissen,
von den Meinen gewaltsam getrennt.
Darf ich denn ihren Mund nicht mehr küssen,
die mich liebt, die mich Gatten genannt?
Oh, wer trocknet den Meinen die Tränen,
die die Lieben in Unschuld geweint,
mit der Rache will ich mich versöhnen,
schenkt das Schicksal mir nur einen Freund.

Violently torn from my family,
Forcibly separated from my own.
May I no longer kiss the lips
Of the loving woman who calls me husband?
Who will dry the tears of my family
Which the dear ones have shed innocently?
I shall gladly forego all revenge,
If fate grants me but just one friend.

Wenn ich so in den Orkus[1] muß steigen,
von der Sonn in die finstere Nacht.
Wenn im Schatten der uralten Eichen
sich die Menschheit einander betracht'.
Oh, so schau ich so manchmal hinüber,
nach der Heimat mit Sehnsucht zurück.
Mir ist nichts als die Hoffnung geblieben,
nur die Hoffnung, mein einziges Glück.

If I must thus descend into Orcus,
Out of the sun into the dark night.
If in the shade of ancient oaks
Humanity again looks at itself.
How often my eyes gaze with longing
Outward toward my homeland.
Nothing remains for me but hope,
In hope lies my only happiness.

Courtesy of Friederich Fiechtner

104

Die Vertriebenen

Mathias Bossert   Melody: Stenka Rasin

Wir ver-trieb-nen Sow-jet-deut-schen
sind zer-streut vom Hei-mat-land,
wo einst leb-ten uns-re Vä-ter,
wo auch uns-re Wieg-e stand.

2. Und am fremden Ort, vertrieben,
   Weit entfernt vom Heimatland,
   Nur noch unsre Lieder blieben,
   Die als Kinder wir gekannt.

3. Die Familien sind zerissen:
   Der eine hier, der andre dort.
   Viele Mütter nicht mehr wissen,
   Wo jetzt ihrer Kinder Ort.

4. Hunger, Elend, Angst und Kummer,
   Das war unser schweres Los,
   Und gar. viele unsrer Brüder
   Ruhen längst im Erdenschoss.

5. All das haben wir ertragen
   Ohne Murren, mit Geduld.
   Wem auch sollten wir es klagen,
   Wir Vertrieb'nen ohne Schuld?

6. Rechtlos waren wir und Knechte,
   Nur zur Arbeit, wie das Vieh.
   Und zum Spott nannt' man uns Schlechte,
   "Frietsch," "Faschist," auch da und hie.

7. Doch wir werden nicht mehr schweigen!
   Brüder, auf! Nun ist es Zeit!
   Unsre Stimme soll erschallen,
   Bis da siegt Gerechtigkeit.

Heimatlied

Mathias Bossert

1. Was Hei-mat ist, kann ich nicht sagen. Ihr müsst

mein Herz das arme fra-gen. Es hat mir selbst noch nie

ge-sagt, ob-gleich es mich all-täg-lich plagt.

Geh mit mir heim, geh mit mir heim ins Va-ter -land,

ins Va-ter-haus!

Text und Melodie
von Mathias Bossert

2. Wohl Berge hat es auch da unten,
   Manch Blümlein hab ich schon gefunden.
   Doch finden kann mein Herz nicht Ruh
   Und ruft mir immer immer zu. :: Geh mit mir heim....

++++++

O Kutschurgan, du stilles Tal

-Ferdinand Kraft, Strassburg

1. Fern im Süd am schönen Kutschurgan,
   Dort wo die Täler grün und Blumen reichlich blüh'n,
   Dort wo der Vogelsang erschallet durch die Wälder,
   Dort ist mein Heim, nach dem die Sehnsucht ruft.
      O Kutschurgan, du stilles Tal!
      Sei mir gegrüsst viel tausendmal!

2. In der Heimat meiner Jugend Glück
   Hab ich mein Leben wie im Traum verbracht.
   Von Schöpferhand ward mir es zugeschickt
   Und ich verliess sie unter Schicksalsmacht.

3. Wo sich Ähr an Ähre reihet
   Weithin übers ebne Land.
   Wo mit Stolz der Blick sich weidet,
   :/: blüht mein liebes Heimatland.:/:
   O Kutschurgan, ...

4. Wo die blühende Akazie
   Sich im lauen Winde wiegt,
   Wo das Lied von Mund zu Munde
   :/: freudig sich zusammenfügt. :/:
   O Kutschurgan, ...

(Far to the South on the lovely Kutschurgan,
Where the vales are green and flowers throng,
Where the song of birds in the woods resounds,
There is my home, the land for which I long.

In the homeland of my happy youth
I spent my life as in a dreamy state;
From the Creator's hand was it bestowed,
I left it only by the power of fate.)

Schnitzelbank

IST DAS NICHT EINE SCHNITZEL BANK?

("JA DAS IST EINE SCHNITZEL BANK")

KURZ UND LANG

HIN UND HER

KREUZ UND QUER

SCHIESS GEWEHR

WAGEN RAD

KRUMM UND GRAD

GROSSES GLAS

OCHSEN BLAS

HAUFEN MIST

SCHNICKEL FRITZ

DICKE FRAU

FETTE SAU

LANGER MANN

TANNENBAUM

HOCHZEITS RING

GEFAHRLICHES DING

IST Das nicht ein Schnitz-el Bank? *Chorus* Ja das ist ein Schnitzel Bank!

Chorus O—Die Schoen-heit an der Wand—Ja das ist ein Schnitz-el Bank.

A A A der Winter der ist da[1]

Notation by Lambert Laturnus

1. A A A der Win - ter der ist da !

Herbst und Som mer sind ver-gang-en

Win - ter der hat an - ge-fang-en.

A A A der Win - ter der ist da !

2. E, e, e, nun gibt es Eis und Schnee;
   Blumen blüh'n an Fensterscheiben,
   Sind sonst nirgends aufzutreiben.
   E, e, e, nun gibt es Eis und Schnee!

3. I, i, i, vergiss des Armen nie!
   Hat oft nichts, sich zuzudecken,
   Wenn nun Frost und Kält ihn schrecken.
   I, i, i, vergiss des Armen nie!

4. O, o, o, wie sind die Kindlein froh!
   Wenn das Christkind tut was bringen
   Und "vom Himmel hoch" sie singen!
   O, o, o, wie sind die Kindlein froh!

5. U, u, u. ich weiss wohl was ich tu':
   Christkind lieben, Christkind loben
   Mit den vielen Engeln oben.
   U, u, u, ich weiss wohl, was ich tu'!

6. Hopp, hopp, hopp, Pferdchen, lauf Galopp!
Über Stock und über Steine,
Tu dir ja nicht weh die Beine!
Immer im Galopp! Hopp, hopp, hopp, hopp, hopp.

7. Tipp, tipp, tapp! Wirf mich ja nicht ab!
Sonst bekommst du Peitschenhiebe,
Pferdchen, tu mir's ja zuliebe,
Wirf mich ja nicht ab! Tipp, tipp, tipp, tipp, tapp!'

8. Brr, brr, he! Steh, mein Pferdchen, steh!
Sollst noch heute weiter springen,
Muss dir nur erst Futter bringen,
Steh, mein Pferdchen, steh! Brr,brr,brr,brr, he!

9. Ja, ja, ja! Ja, nun sind wir da!
Diener, Diener, liebe Mutter!
Findet auch mein Pferdchen Futter?
Ja, nun sind wir da! Ja, ja, ja, ja, ja, ja!

After singing a convivial song, the Kutschurganer folksingers generally added the humorous line: "Und wer's
nicht glauben will, geh selber hin." (If you don't believe it, go there yourself).

Und wer's nicht glauben will, geh' sel-ber hin!

BUELALA

Volksweise

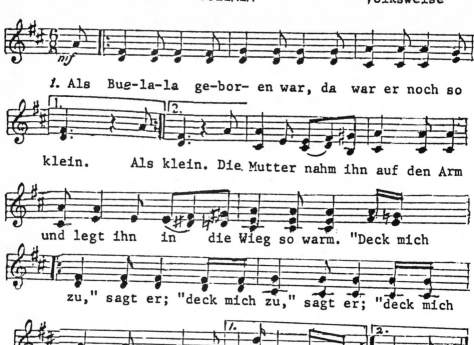

1. Als Bue-la-la ge-bor- en war, da war er noch so klein. Als klein. Die Mutter nahm ihn auf den Arm und legt ihn in die Wieg so warm. "Deck mich zu," sagt er; "deck mich zu," sagt er; "deck mich zu," sagt's Bue-la-la, "deck mich la.

2. :|: Als Buelala in die Schul 'nei kam,
da war er noch so dumm, :|:
Er wusset nicht wo 'nein, noch 'naus,
verliess sich ganz auf Heinz und Klaus:
:|: "Sag's mer vor," sagt er, "sag's mer vor," sagt er,
"Sag's mer vor," sagt's Buelala. :|:

3. :|: Als Buelala dann grösser war,
war er ein stolzer Herr. :|:
Die Haare trug er kurz geschor'n,
Der Kragen ging ihm bis an die Ohr'n.
:|: "Steht mer gut," sagt er, "steht mer gut," sagt er,
"steht mer gut," sagt's Buelala. :|:

4. :|: Als Buelala in den Krieg 'nein kam,
   da ging es lustig her. :|:
   Die Kugeln pfiffen ihm um die Ohr'n,
   da warf er bald die Flint ins Korn:
   :|: "Ich geh häm," sagt er,"ich geh häm ....:|:

5. Als Buelala auf Posten stand
   mit dem krummen Schiessgewehr,
   da kam ein Mann aus Frankreich her,
   der wollte wissen, wo Deutschland wär:
   "Schiess dich tot," sagt er.....

6. Als Buelala gestorben war,
   ganz mäuschenstill lag er.
   Die Eltern standen an dem Grab
   und wischten sich die Tränen ab:
   "Weinet nit," sagt er......

7. Als Buelala zum Himmel kam,
   beim Petrus klopft er an:
   "Ach, Petrus, liewer Petrus mein,
   ich möcht so gern in dein Himmel 'rein:
   "Mach mer uff!" sagt er.....

8. Als Buelala im Himmel war,
   der Herrgott zu ihm sprach:
   "Na, Buelala, wie gefällt's dir denn
   bei mir im schönen Himmel drin?"
   "Na, es geht," sagt er, na, es geht, sagt er......

O du lieber Augustin

Volkslied, 1799.
Leicht.

1. O du lie-ber Au-gu-stin, Au-gu-stin, Au-gu-stin, o du lie-ber Au-gu-stin, al-les ist hin! Geld ist weg, Mädl' ist weg, al-les weg, al-les weg! O du lie-ber Au-gu-stin, al-les ist weg!

O wie wohl ist mir am Abend

Dreistimmiger Kanon
1848 allgemein bekannt

O wie wohl ist mir am A-bend, mir am A-bend, wenn zur Ruh die Glo-cken läu-ten, Glo-cken läu-ten: Bim bam

2. Stimme
O wie wohl...

bim bam bim bam bim bam.

3. Stimme
O wie

Du, du liegst mir im Herzen

Mit Ausdruck

Volksweise

1. Du, du liegst mir im Her - zen,

du, du liegst mir im Sinn;

Du, du machst mir viel Schmer - zen,

weisst nicht, wie gut ich dir bin!

Ja, ja, ja, ja,

weisst nicht, wie gut ich dir bin!

2. So, so wie ich dich liebe, so, so liebe auch mich!
   Die, die zärtlichsten Triebe fühl' ich allein nur für dich!
   Ja, ja, ja, ja, fühl' ich allein nur für dich!

3. Doch, doch darf ich dir trauen, dir, dir mit leichtem Sinn?
   Du, du darfst auf mich bauen, weisst ja, wie gut ich dir bin!
   Ja, ja, ja, ja, weisst ja, wie gut ich dir bin!

4. Und, und wenn in der Ferne, dir, dir mein Bild erscheint,
   Dann, dann wünscht' ich so gerne, dass uns die Liebe vereint'!
   Ja, ja, ja, ja, dass uns die Liebe vereint'!

Das Lieben bringt gross Freud

aus Schwaben 1827

1. Das Lie-ben bringt groß Freud, das wis-sen al-le
Leut. Weiß mir ein schö-nes_ Schüt-ze-lein
mit_ zwei schwarz-brau-nen_ Äu-ge-lein, das_
mir, das_ mir, das_
mir das Herz er-freut.

2. Ein Brieflein schrieb sie mir,
   ich soll treu bleiben ihr;
   drauf schickt ich ihr ein Sträußelein
   von Rosmarin und Nägelein,
   sie soll, sie soll,
   sie soll mein eigen sein.

3. Mein eigen soll sie sein,
   kei'm andern mehr als mein.
   So leben wir in Freud und Leid,
   bis daß der Tod uns beide scheidt.
   Dann ade, dann ade,
   dann ade, mein Schatz, leb wohl!

Jetzt gang i ans Brünnele

Volkslied aus Schwaben, 1824

1. Jetzt gang i ans Brünnele, trink aber net, jetzt gang i ans Brünnele, trink aber net. Do such i mein herztausige Schatz, finden aber net,— do such i mein herztausige Schatz, finden aber net.

2. |: Do laß i meine Äugele
um und um gehn. :|
|: Do sieh-n-i mein herztausige Schatz
bei-m-en andre stehn. :|

3. |: Und bei-m-en andre stehe seh,
ach, des tut weh! :|
|: Jetzt b'hüt di Gott, herztausiger Schatz,
di b'sieh-n-i nimme'meh. :|

4. |: Jetzt kauf i mir Dinte-n und
Fed'r und Papier :|
|: und schreib mei'm herztausige Schatz
einen Abschiedsbrief. :|

5. |: Jetzt leg i mi nieder aufs Heu
und aufs Moos, :|
|: do fallet mir drei Rösele
nieder in mein Schoß. :|

6. |: Und diese drei Rösele,
die sind so rot; :|
|: jetzt weiß i net: lebt mei Schatz,
oder ist er tot? :|

Drunten im Unterland

aus Schwaben, vor 1824

1. Drun - ten im Un - ter - land, da ist's halt

1. fein. 2. fein. *mf* Schle - hen im O -

- ber - land, Trau - ben im Un - ter - land.

Drun - ten im Un - ter - land möcht i wohl sein.

2. |: Drunten im Neckartal,
da ist's halt gut. :|
Ist mer's da oben 'rum
manchmal au' no' so dumm,
han i doch alleweil
drunten gut's Blut.

3. |: Kalt ist's im Oberland,
unten ist's warm. :|
Oben sind d'Leut so reich,
d'Herzen sind gar net weich,
sehn mi net freundlich an,
werden net warm.

4. |: Aber da unten 'rum,
da sind d'Leut arm, :|
aber so froh und frei
und in der Liebe treu;
drum sind im Unterland
d'Herzen so warm.

Und wer's nicht glauben will, gehe selber hin !

Lorelei

Langsam F. Silcher

1. Ich weiss nicht, was soll es be-deu-ten, Dass

ich so trau-rig bin; Ein

Mär-chen aus al-ten Zei-ten, das

kommt mir nicht aus dem Sinn. Die

Luft ist kühl und es dun-kelt, und

ru-hig fliesst der Rhein; Der

Gip-fel des Ber-ges fun-kelt im

A-bend-son-nen-schein.

2. Die schönste Jungfrau sitzet dort oben wunderbar,
Ihr gold'nes Geschmeide blitzet, sie kämmt ihr goldenes Haar.

Sie kämmt es mit goldenem Kamme, und singt ein Lied dabei,
Das hat eine wundersame gewaltige Melodei.

3. Den Schiffer im kleinen Schiffe ergreift es mit wildem Weh;
Er schaut nicht die Felsenriffe, er schaut nur hinauf in die Höh'.

Ich glaube, die Wellen verschlingen am Ende Schiffer und Kahn;
Und das hat mit ihrem Singen die Lorelei getan!

Der Lindenbaum

Mässig

Franz Schubert

Am Brun - nen vor dem To - re, da

steht ein Lin - den - baum; Ich

träumt' in sei - nem Schat - ten so

man - chen sü - ssen Traum, Ich

schnitt in sei - ne Rin - de so

man - ches lie - be Wort, Es

zog in Freud' und Lei - de zu

ihm mich im - mer - fort, zu

ihm mich im - mer - fort.

I

Am Brunnen vor dem Tore, da steht ein Lindenbaum;
Ich träumt' in seinem Schatten so manchen süssen
    Traum,
Ich schnitt in seine Rinde so manches liebe Wort,
Es zog in Freud' und Leide zu ihm mich immerfort.

2

Ich musst' auch heute wandern vorbei in tiefer Nacht;
Da hab' ich noch im Dunkeln die Augen zugemacht,
Und seine Zweige rauschten, als riefen sie mir zu:
Komm her zu mir, Geselle, hier find'st du deine Ruh'.

3

Die kalten Winde bliesen mir grad ins Angesicht;
Der Hut flog mir vom Kopfe, ich wendete mich nicht.
Nun bin ich manche Stunde entfernt von jenem Ort,
Und immer hör' ich's rauschen: Du fändest Ruhe dort!

                             WILHELM MÜLLER

Steh ich in finstrer Mitternacht

Wilhelm Hauff

Steh ich in finst-rer Mit-ter-nacht so ein-sam
auf der stil len Wacht, so denk ich an mein fer-nes
Lieb,— ob mir's auch treu und hold ver-blieb.

Als ich zur Fahne fortgemüßt,
hat sie so herzlich mich geküßt,
mit Bändern meinen Hut geschmückt,
und weinend mich ans Herz gedrückt.

Sie liebt mich treu, sie ist mir gut,
drum bin ich froh und wohlgemut,
mein Herz schlägt warm in kalter Nacht,
wenn ich ans ferne Lieb gedacht.

Das Heidenröslein

Volkslied von 1602.

Goethe Text, 1771.

1. Sah ein Knab' ein Rös-lein stehn, Rös-lein auf der Hei-den, War so jung und mor-gen-schön, lief er schnell, es nah' zu sehn, Sah's mit vie-len Freu-den. Rös-lein, Rös-lein, Rös-lein rot, Rös-lein auf der Hei-den.

2

Knabe sprach : Ich breche dich, Röslein auf der
Heiden !
Röslein sprach : Ich steche dich, dass du ewig denkst an
mich,
Und ich will's nicht leiden !
Röslein, u. s. w.

3

Und der wilde Knabe brach 's Röslein auf der Heiden ;
Röslein wehrte sich und stach, half ihm doch kein Weh
und Ach,
Musst' es eben leiden.
Röslein, u. s. w.

Der frohe Wanderer

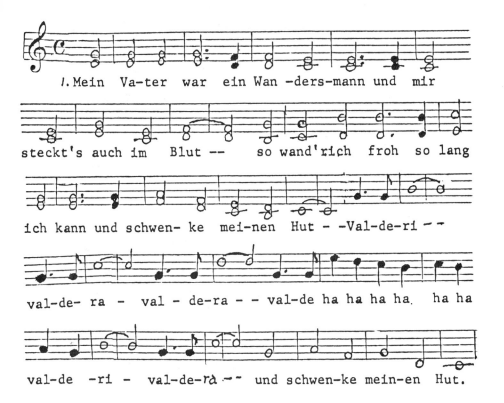

1. Mein Va-ter war ein Wan-ders-mann und mir
steckt's auch im Blut -- so wand'rich froh so lang
ich kann und schwen-ke mei-nen Hut - -Val-de-ri --
val-de- ra - val - de-ra - - val-de ha ha ha ha. ha ha
val-de -ri - val-de-ra -- und schwen-ke mein-en Hut.

2. Das Wandern schafft die frische Luft,
   Erhält das Herz gesund;
   Frei atmet draussen meine Brust,
   Froh singet stets mein Mund. Valderi...

3. Warum singt die das Vögelein
   So freudevoll sein Lied?
   Weil's immer hofft landaus, landein
   Durch an'dre Fluren zieht.

Im Wald und auf der Heide

Lebhaft

Wilhelm Bornemann, 1816

Im Wald und auf der Hei- de, da
such' ich mei - ne Freu - de, Ich
bin ein Jä - gers - mann, ich
bin ein Jä - gers - mann. Die
For - sten treu zu he - gen, das
Wild - pret zu er - le - gen, Mein
Lust hab' ich dar - an, Mein
Lust hab' ich dar - an.
Hal - li, hal - lo, hal - li, hal - lo, Mein

Lust hab' ich dar - an.

I

Im Wald und auf der Heide, da such' ich meine Freude,
: Ich bin ein Jägersmann, :
Die Forsten treu zu hegen, das Wildpret zu erlegen,
: Mein' Lust hab' ich daran, :
Halli, hallo, halli, hallo,
Mein' Lust hab' ich daran.

2

Trag' ich in meiner Tasche ein Trünklein in der Flasche,
: Ein Stückchen schwarzes Brot, :
Brennt lustig meine Pfeife, wenn ich den Forst durch-
streife,
: Da hat es keine Not ! :
Halli, hallo . . . (wie oben) . . . Da hat es keine Not !

3

Im Walde hingestrecket, den Tisch mit Moos mir decket
: Die freundliche Natur ; :
Den treuen Hund zur Seite, ich mir das Mahl bereite
: Auf Gottes freier Flur, :
Halli, hallo . . . .

Who loves not wine, woman and song,

Remains a fool his whole life long.

— Martin Luther

Ein Jäger aus Kurpfalz

Frisch Volkslied, 1763

1. Ein Jä-ger aus Kur-pfalz, der rei-tet durch den grü-nen Wald, er schießt das Wild da-her, gleich wie es ihm ge-fallt. 1.—3. Ju-ja, ju--ja, gar lu-stig ist die Jä-ge-rei all – hier auf grü-ner Heid, all – hier auf grü-ner Heid.

Nach der 3.Strophe

2. Auf, sattelt mir mein Pferd
und legt darauf den Mantelsack,
so reit ich hin und her
als Jäger aus Kurpfalz.
Juja...

3. Jetzt geh ich nicht mehr heim,
bis daß der Kuckuck „Kuckuck" schreit;
er schreit die ganze Nacht
allhier auf grüner Heid.
Juja...

Und wer's nicht glauben will, geh' sel-ber hin!

Wenn die Soldaten

Volksweise

1. Wenn die Sol - da - ten durch die Stadt mar-
schie - ron, öff - nen die Mäd-chen Fen-ster und die
Tü - ren. Ei wa - rum? Ei da - rum! Ei wa - rum? Ei
da - rum! Ei bloß weg'n dem Tsching - de - ras - sa,
Bum - de - ras - sa - sa, ei bloß weg'n dem
Tsching - de - ras - sa, Bum - de - ras - sa - sa!

2. Zweifarben Tücher, Schnauzbart und Sterne herzen und
küssen die Mädchen ach so gerne. Ei warum? usw.

3. Eine Flasche Rotwein und ein Stückchen Braten schenken
die Mädchen ihren Soldaten. Ei warum? usw.

4. Wenn im Felde blitzen Bomben und Granaten, weinen die
Mädchen um ihre Soldaten. Ei warum? usw.

5. Kommen die Soldaten wieder in die Heimat sein ihre Mädchen alle schon verheirat'. Ei warum? usw.

Studio auf einer Reis'

1. Stu - di - o auf ei - ner Reis', juch - hei - di, juch - hei - da, ganz __ fa - mos zu le - ben weiß, juch - hei - di, hei - da. Im - mer - fort durch dick und dünn schlen - dert er durchs Le - ben hin, juch - hei - di, hei - di, hei - da, juch - hei - di, juch - hei - da, juch - hei - di, hei - di, hei - da, juch - hei - di, hei - da!

2. Hat der Studio auch kein Geld,
juchheidi, juchheida,
ist er drum nicht schlecht bestellt,
juchheidi, heida!
Manches feiste Pfäffelein
ladet ihn zum Frühstück ein.
Juchheidi, heidi, heida...

3. Kehren wir ins Wirtshaus ein,
juchheidi, juchheida,
trinken wir stets Bier statt Wein,
juchheidi, heida!
Alle Mädel für uns glühn,
denn wir tragen Schwarz-Gold-Grün!
Juchheidi, heidi, heida...

4. Bayrisch Bier und Leberwurst,
juchheidi, juchheida,
und ein Kind mit runder Brust,
juchheidi, heida!
Und ein Glas Krambambuli,
Donnerwetter Parapluie!
Juchheidi, heidi, heida...

Volkslied, 1842

Lustig ist das Zigeunerleben

1. Lu - stig ist das Zi - geu - ner - le - ben, fa - ri - a, fa - ri - a,_____ brauch'n dem Kai - ser kein Zins zu ge - ben, fa - ri - a, fa - ri - a._____ Lu - stig ist es im grü - nen Wald, wo des Zi - geu - ners Auf - ent - halt! 1.-6. Fa - ri - a, fa - ri - a, fa - ri - a, fa - ri - a, fa - ri - a, fa - ri - a._____

2. Sollt uns einmal der Hunger plagen,...
tun wir uns ein Hirschlein jagen,...
Hirschlein, nimm dich wohl in acht,
wenn des Jägers Büchse kracht...

3. Sollt uns einmal der Durst sehr quälen,...
gehn wir hin zu Waldesquellen,...
trinken das Wasser wie Moselwein,
meinen, es müßte Champagner sein...

4. Mädel, willst du Tabak rauchen,...
brauchst dir keine Pfeif zu kaufen,...
Greif in meine Tasch hinein,
da wird Pfeif und Tabak sein...

5. Wenn uns tut der Beutel hexen,...
lassen wir einen Taler wechseln,...
treiben wir die Zigeunerkunst,
habn wir den Taler schon wieder bei uns...

6. Wenn wir auch kein Federbett haben,...
tun wir uns ein Loch ausgraben,...
legen Moos und Reisig 'nein,
das soll uns ein Federbett sein...

Die Gedanken sind frei

Volkslied um 1790

1. Die Ge - dan - ken sind frei, wer
   Sie schlei - chen vor - bei wie

kann sie er - ra - ten?
nächt - li - che Schat - ten,

kein Mensch kann sie

wis - sen, kein Jä - ger er - schie - ßen; es

blei - bet da - bei: Die Ge - dan - ken sind frei!

1. Die Gedanken sind frei, wer kann sie erraten?
   Sie fliehen vorbei wie nächtliche Schatten.
   Kein Mensch kann sie wissen, kein Jäger sie schiessen,
   Es bleibet dabei: Die Gedanken sind frei!

2.Ich denke, was ich will und was mich beglücket,
Doch alles in der Still und wie es sich schicket.
Mein Wunsch und Begehren kann niemand verwehren;
Es bleibet dabei: Die Gedanken sind frei!

3. Ich liebe den Wein, mein Mädchen vor allen,
Sie tut mir allein am besten gefallen.
Ich sitz nicht alleine bei meinem Glas Weine,
Mein Mädchen dabei: Die Gedanken sind frei!

3. Und sperrt man mich ein in finstern Kerker,
das alles sind reiu vergebliche Werke,
denn meine Gedanken zerreisen die Schranken
und Mauern entzwei. Die Gedanken sind frei!

4. Drum will ich auf immer den Sorgen entsagen
und will mich auch nimmer mit Grillen mehr plagen.
Man kann ja im Herzen stets lachen und scherzen,
und denken dabei: Die Gedanken sind frei!

Es ist mir nichts lieber, als jagen allein

Kol. Landau

1. Es ist mir nichts lie - ber, als ja - gen al - lein, mein Schön

schätz-gen zu er- frei-chen :, wenn es Trau - rig möch-te sein.

Ein Heller und ein Batzen

von Schlippenbach, 1830

1. Ein Hel-ler und ein Bat-zen, die wa-ren bei-de mein, ja mein. Der Hel-ler ward zu Was-ser, der Bat-zen ward zu Wein, ja Wein, der Hel-ler ward zu Was-ser, der Bat-zen ward zu Wein.

2. Die Wirtsleut und die Mädel,
   die rufen beid: „O weh, o weh!"
   Die Wirtsleut, wenn ich komme,
   die Mädel, wenn ich geh, ja geh;
   die Wirtsleut, wenn ich komme,
   die Mädel, wenn ich geh.

3. Mein' Strümpfe sind zerrissen,
   mein' Stiefel sind entzwei, entzwei.
   Und draußen auf der Heide,
   da singt der Vogel frei, ja frei;
   und draußen auf der Heide,
   da singt der Vogel frei.

4. Und gäbs kein' Landstraß nirgends,
   da säß ich still zu Haus, zu Haus.
   Und gäbs kein Loch im Fasse,
   da tränk ich gar nicht draus, nicht draus;
   und gäbs kein Loch im Fasse,
   da tränk ich gar nicht draus.

5. War das nicht eine Freude,
   als mich der Herrgott schuf, ja schuf?
   Ein' Kerl wie Samt und Seide,
   nur schade, daß er suff, ja suff;
   ein' Kerl wie Samt und Seide,
   nur schade, daß er suff!

Darf ich's Madel liewe?

A. Sonthoff

Ich bin jüngst verwiche hin zur Mut-ter g'schlich-e:

"Darf ich's Ma-del liewe, darf ich's Ma-del liewe?"

"Ach mein Kind, du bist ja noch zu jung,"

mit acht-zehn Jah-re erst magst du's tun."

Text preserved by Balthasar Heit

2. Bin ich voll Verlange hin zum Vater gange:
   "Darf ich's Madel liewe, darf ich's Madel liewe?"
   "Donnerwetter," schreit er in sei'm Zorn,
   "Wenn den Stock willsch hawwe, kannsch es tun."

3. Bin dann ganz betroffe hin zum Pfarrer g'loffe:
   "Darf ich's Madel liewe, darf ich's Madel liewe?"
   "Ach, mein Sohn, bei meiner Seel,
   Wenn du's Madel liebst, dann kommst in d'Höll!"

4. Wusst nichts anzufange, bin zum Herrgott gange:
   "Darf ich Madel liewe, darf ich's Madel liewe?"
   "Ei, ja freilich," sagt er und hat g'lacht,
   "denn fürs Biewel hab ich's Madel g'macht."

-Peter Rosegger

Ich hatt einen Kameraden

Folk tune (1825)

Ich hatt' ei-nen Ka-me - ra - den, ei-nen bes-sern find'st du nit.
I had one faith-ful com - rade 'Erewe heard the trum-pet's call,

Die_ Trom-mel schlug zum Strei - te, er_ ging an mei-ner
And we pledged our hearts for - e - ver In_ bat-tle joined to

Sei - te im glei-chen Schritt und Tritt, im glei-chen Schritt und Tritt.
geth-er To beat the foe or_ fall. To beat the foe or_ fall.

II.

Eine Kugel kam geflogen;
gilt sie mir oder gilt sie dir?
Ihn hat es weggerissen,
er liegt vor meinen Füßen,
als wär's ein Stück von mir.

III.

Will mir die Hand noch reichen,
derweil ich eben lad'.
„Kann dir die Hand nicht geben;
bleib du im ewgen Leben
mein guter Kamerad!"

Ludwig Uhland

II.

*A musket shot came screaming
To seal his fate or mine
Right at my feet he stumbled,
And friendship's shrine it crumbled
Around that friend of mine.*

III.

*His hand is blindly seeking
The clasp I cannot give
For duty calls me onward
Farewell my dying comrade,
Our love shall ever live.*

Tr. by Don Titman

Sprich, und du bist mein Mitmensch;

Singe, und wir sind Brüder und Schwestern.

Theodor von Hippel (1771–1843)

Ach, wie ist's möglich

2

Blau blüht ein Blümelein, das heisst Vergissnichtmein:
Dies Blümlein leg' ans Herz, und denke mein!
Stirbt Blum' und Hoffnung gleich, wir sind an Liebe
    reich;
Denn sie stirbt nie bei mir, das glaube mir!

3

Wär' ich ein Vögelein, bald wollt' ich bei dir sein,
Scheut' Falk' und Habicht nicht, flög' schnell zu dir!
Schöss' mich ein Jäger tot, fiel' ich in deinen Schoss:
Sähst du mich traurig an, gern stürb' ich dann.

Das Wandern

Lustig

Zöllner

Das Wan‑dern ist des Mül‑lers Lust, das

Wan‑dern ist des Mül‑lers Lust, das Wan‑

dern! Das muss ein schlech‑ter Mül‑ler sein, Dem

nie‑mals fiel das Wan‑dern ein, dem

nie‑mals fiel das Wan‑dern ein, das Wan‑dern.

1

: Das Wandern ist des Müllers Lust, : | das Wandern |
Das muss ein schlechter Müller sein,
: Dem niemals fiel das Wandern ein, :
Das Wandern.

2

: Vom Wasser haben wir's gelernt, : | vom Wasser |
Das hat nicht Ruh' bei Tag und Nacht,
: Ist stets auf Wanderschaft bedacht, :
Das Wasser.

3

: Das seh'n wir auch den Rädern ab, : | den Rädern !
Die gar nicht gerne stille steh'n,
: Und sich mein Tag nicht müde dreh'n, :
Die Räder.

4

: Die Steine selbst, so schwer sie sind, :| die Steine !
Sie tanzen mit den muntern Reih'n
: Und wollen gar noch schneller sein, :
Die Steine !

5

: O Wandern, Wandern, meine Lust, :| O Wandern !
Herr Meister und Frau Meisterin,
: Lasst mich in Frieden weiter ziehn, :
Und wandern !

W. MÜLLER

Kein schöner Land

Ant. Wilhelm von Zuccalmaglio, 1840

1. Kein schö-ner Land in die-ser Zeit als hier das uns-re weit und breit,

wo wir uns fin - den wohl un-ter Lin - den zur A-bend-zeit,

wo wir uns fin - den wohl un-ter Lin - den zur A-bend-zeit.

2. Da haben wir so manche Stund
gesessen da in froher Rund
|: und taten singen,
die Lieder klingen
im Eichengrund. :|

3. Daß wir uns hier in diesem Tal
noch treffen so viel hundertmal:
|: Gott mag es schenken,
Gott mag es lenken,
er hat die Gnad. :|

4. Nun, Brüder, eine gute Nacht!
Der Herr im hohen Himmel wacht;
|: in seiner Güten
uns zu behüten,
ist er bedacht. :|

Das Schönste auf der Welt

1. Das Schönste auf der Welt ist mein Ti-ro-ler-land, mit sei-nen steil-en Höhn und sei-ner Felsen-wand. 1-5 Val-le-ri, val-er-a, val-ler-i, val-le-ra, val-le ri-a ri-a ri-a ri-a, Val-le- ra. val-le- ri, val-le-ra, val-le- ri, val-le-ra, hoch o-ben auf der Alm.

1. Das Schönste auf der Welt ist mein Tirolerland,
   Mit seinen steilen Höh'n und seiner Felsenwand.
   1-5. Valleri, vallera, valleri, vallera,
   Valleria-ria-ria-ria, vallera, valleria, vallera
   Valleri, vallera, hoch oben auf der Alm.

2. Mein Schatz, den ich nicht mag, den seh ich alle Tag und
   der mein Herz erfreut, der ist so weit, so weit. Valleri..

3. Des Nachts, wenn alles schläft, nur ich allein bin wach, dann
   steig ich auf die Alm und jag dem Gemsbock nach. Valleri..

4. Des Morgens in der Früh, da steig ich hoch hinauf; da geht
   so wunderschön die goldne Sonne auf. Valleri...

5. Wenn ich gestorben bin, dann tragt mich hoch hinauf; Be-
   grabt ihr mich im Tal, da steig ich wieder 'nauf. Valleri..

Im schönsten Wiesengrunde

1. Im_ schön-sten Wiesen - grun - de ist
mei-ner Hei-mat Haus; da zog ich man-che
Stun - de ins Tal hin - aus. Dich, mein
stil - les Tal, grüß ich tau-send mal! Da_
zog ich manche Stun-de ins Tal hin - aus.

2. Müßt aus dem Tal ich scheiden,
wo alles Lust und Klang,
das wär mein herbstes Leiden,
mein letzter Gang.
Dich, mein stilles Tal,
grüß ich tausendmal!
Das wär mein herbstes Leiden,
mein letzter Gang.

3. Sterb ich, in Tales Grunde
will ich begraben sein;
singt mir zur letzten Stunde
beim Abendschein:
„Dir, o stilles Tal,
Gruß zum letztenmal!"
Singt mir zur letzten Stunde
beim Abendschein.

Wilhelm Ganzhorn (1808–1880)

In einem kühlen Grunde

von Eichendorff, 1813

Friedrich Glück, 1814

1. In ei - nem küh - len Grun - de, da geht ein

Müh - len - rad, mein' Lieb - ste ist ver - schwun

- den, die dort ge - woh - net hat, mein'

Lieb - ste ist ver - schwun - den, die dort

ge - woh - net hat.——————

2. Sie hat mir Treu versprochen,
gab mir ein' Ring dabei,
|: sie hat die Treu gebrochen,
mein Ringlein sprang entzwei. :|

3. Ich möcht als Spielmann reisen
wohl in die Welt hinaus
|: und singen meine Weisen
und gehn von Haus zu Haus. :|

4. Ich möcht als Reiter fliegen
wohl in die blutge Schlacht,
|: um stille Feuer liegen
im Feld bei dunkler Nacht. :|

5. Hör ich das Mühlrad gehen:
ich weiß nicht, was ich will,
|: ich möcht am liebsten sterben,
da wärs auf einmal still! :|

Tief drin im Böhmerwald

Hans Bicherl, 1896

1. Tief drin im Böh-mer-wald, da liegt mein Hei-mat-ort, es ist gar lang schon her, daß ich von dort bin fort. Doch die Er - in - ne-rung, die bleibt mir stets ge-wiß, daß ich den Böh-mer-wald gar nie ver - -giß.

1.—3. Es war im Böh-mer-wald, wo mei-ne Wie - ge stand, im schö nen, grü-nen Böh-mer-wald, es war im Böh-mer-wald, wo mei-ne Wie - ge stand, im schö - nen, grü-nen Wald.

2. O holde Kindeszeit, noch einmal kehr zurück,
   wo spielend ich genoß das allerhöchste Glück,
   wo ich am Vaterhaus auf grüner Wiese stand
   und weithin schaute auf mein Vaterland.
   Es war im Böhmerwald...

3. Nur einmal noch, o Herr, laß mich die Heimat sehn,
   den schönen Böhmerwald, die Täler und die Höhn:
   dann kehr ich gern zurück und rufe freudig aus:
   Behüt dich, Böhmerwald, ich bleib zu Haus.
   Es war im Böhmerwald...

Nun ade, du mein lieb Heimatland

Mässig bewegt

August Disselhof, 1851

Nun a - de, du mein lieb Hei - mat-land, lieb

Hei- mat-land, a - de! Es geht jetzt fort zum

fer - nen Strand, lieb Hei - mat-land, a - de! Und so

sing' ich denn mit fro-hem Mut, Wie man sin-get, wenn man

wan-dern tut, Lieb Hei - mat-land, a - de!

2

Wie du lachst mit deines Himmels Blau, lieb Heimat-
land, ade!
Wie du grüssest mich mit Feld und Au, lieb Heimatland,
ade!
Gott weiss, zu dir steht stets mein Sinn;
Doch jetzt zur Ferne zieht's mich hin,
Lieb Heimatland, ade!

3

Begleitest mich, du lieber Fluss, lieb Heimatland, ade!
Bist traurig, dass ich wandern muss, lieb Heimatland,
ade!
Vom moss'gen Stein, am wald'gen Tal,
Da grüss' ich dich zum letzten Mal,
Lieb Heimatland, ade!

Im grünen Wald, da wo die Drossel singt

Volkslied aus dem Clevischen, 1834

1. Im grünen Wald, da wo die Drossel singt, *Drossel singt,* das muntre Reh -

lein durch die Büsche springt, *Büsche springt,* wo Tann und Fich - te stehn am

Wal-des - saum, ——— er-lebt ich mei - ner Ju-gend schönsten Traum.

2. Das Rehlein trank wohl aus dem klaren Bach, *klaren Bach,*
   derweil im Wald der muntre Kuckuck lacht, *Kuckuck lacht.*
   |: Der Jäger zielt schon hinter einem Baum,
   das war des Rehleins letzter Lebenstraum. :|

3. Getroffen war's und sterbend lag es da, *lag es da,*
   das man vorher noch munter hüpfen sah, *hüpfen sah,*
   |: da trat der Jäger aus des Waldes Saum
   und sprach: Das Leben ist ja nur ein Traum. :|

4. Schier achtzehn Jahre sind verflossen schon, *flossen schon,*
   die er verbracht als junger Waidmannssohn, *Waidmannssohn,*
   |: er nahm die Büchse, schlug sie an ein' Baum
   und sprach: Das Leben ist ja nur ein Traum. :|

Kommt her und singt,

dass alles klingt,

was Freude bringt.

Fritz Dietrich

Andreas Hofer

1. Zu Mantua in Banden der treue Hofer war,
   In Mantua zum Tode führt ihn der Feinde Schar.
   Es blutete der Brüder Herz, ganz Deutschland, ach ! in
        Gram und Schmerz,
   : Mit ihm das Land Tyrol, mit ihm das Land Tyrol. :

2. Die Hände auf dem Rücken, Andreas Hofer ging
   Mit ruhig festen Schritten ; ihm schien der Tod gering,
   Der Tod, den er so manches Mal vom Iselberg geschickt ins Tal,
   : Im heil'gen Land Tyrol, im heil'gen Land Tyrol. :

3. Dort soll er niederknieen; er sprach: Das tu' ich nicht!
   Will sterben, wie ich stehe, will sterben, wie ich stritt,
   So, wie ich steh' auf dieser Schanz', es leb' mein guter Kaiser Franz,
   : Mit ihm sein Land Tyrol, mit ihm sein Land Tyrol !:

4. Und von der Hand die Binde nimmt ihm der Korporal;
   Andreas Hofer betet allhier zum letztenmal,
   Dann ruft er : Nun so trefft mich recht !
   Gebt Feuer ! Ach, wie schiesst ihr schlecht !
   : Ade, mein Land Tyrol, ade, mein Land Tyrol !:

J. Mosen

Nach der Heimat möcht ich wieder.

1. Nach der Heimat möcht ich wieder,
   Nach dem teuren Vaterort,
   Wo man singt die frohen Lieder,
   Wo man spricht ein trautes Wort.

REF: Teure Heimat, sei gegrüsst,
   In der Ferne, sei gegrüsst!
   Sei gegrüsst in weiter Ferne,
   Teure Heimat sei gegrüsst!

2. Deine Täler, deine Höhen,
   Deiner Buchenwälder grün,
   O, die möcht ich widersehen,
   Dorthin, dorthin möcht ich ziehn.

3. Doch mein Schicksal will es nimmer,
   Durch die Welt ich wandern muss,
   Trautes Heim, dein denk' ich immer,
   Trautes Heim, dir gilt mein Gruss.

Da streiten sich die Leut herum

Ferdinand Raimund, 1834

Da streiten sich die Leut herum
wohl um den Wert des Glücks
der eine heisst den andern dumm,
am End weiss keiner nichts.
Da ist der allerärmste Mann
dem andern viel zu reich.
Das Schicksal setzt den Hobel an
und hobelt alle gleich.

Some people argue much about
the worth of happiness;
and though they call each other dumb,
they're all quite ignorant.
The very poorest man appears
to another much too rich.
But Destiny applies his plane
and levels one and all.

Die Jugend will halt mit Gewalt
in allem glücklich sein;
doch wird man nur ein bissel alt,
da find't man sich schon drein.
Oft zankt mein Weib mit mir, o Graus,
das bringt mich nicht in Wut;
da klopf ich meinen Hobel aus
und denk: du brummst mir gut!

Zeigt sich der Tod einst, mit Verlaub,
und zupft mich, "Bruder, kumm!"
da still ich mich am Anfang taub
und schau mich gar nicht um.
Doch sagt er: "Lieber Valentin,
mach keine Umständ, geh!"
da leg ich meinen Hobel hin
und sag der Welt adje.

The young intend perforce to be
happy in everything;
but when one grows a little old
one can put up with it.
My wife oft harries me a lot,
that doesn't rouse my rage.
I just tap out my shaving plane
and think: you're humming well.

When one day Death should appear
and nudge me: "Brother, come!"
I'll first pretend I cannot hear
and shall not look around.
But when he says: "Dear Valentine,
don't make a fuss, just go!"
then I'll lay my plane right down
and bid the world adieu.

Üb immer Treu und Redlichkeit

Üb' im-mer Treu und Red-lich-keit bis
an dein küh - les— Grab, und weiche keinen
Fin-ger breit von Gottes We-gen ab.

Dann wirst du wie auf grünen Au'n
durchs Pilgerleben geh'n,
dann kannst du sonder Furcht und Grau'n
dem Tod ins Antlitz seh'n.

Dann wird die Sichel und der Pflug
in deiner Hand so leicht,
dann singest du beim Wasserkrug,
als wär' dir Wein gereicht.

Drum übe Treu und Redlichkeit
bis an dein kühles Grab,
und weiche keinen Finger breit
von Gottes Wegen ab.

Ludwig Christian Hölty

In einem Polenstädtchen

1. In ei-nem Po-len-städt-chen, da leb-te einst ein Mäd-chen, das war so schön. Sie war das al-ler-schön-ste Kind, das man in Po-len findt. „A-ber nein, a-ber nein" sprach sie, „ich küs-se nie!"

2. Ich führte sie zum Tanze, da fiel aus ihrem Kranze ein Rös-lein rot. Ich hob es auf von ihrem Fuß und bat um einen Kuß. „Aber nein, aber nein" sprach sie, „ich küsse nie!"

3. Und als der Tanz zu Ende, wir reichten uns die Hände zum letzten Mal; sie lag in meinem, meinem Arm, mir schlug das Herz so warm. „Aber nein, aber nein" sprach sie, „ich küsse nie!"

4. Doch in der Abschiedsstunde so fiel aus ihrem Munde ein einzig Wort: „So nimm, du Dussel-, Dusseltier den ersten Kuß von mir, vergiß Maruschka nicht, das Polenkind!"

Und wer's nicht glauben will, geh' selber hin !

Die schönsten Augen

(H. Heine.)

G. Stigelli.

1. Du hast Di-a-man-ten und Per-len, hast al-les, was Men-schen Be-gehr, und hast die schön-sten Au-gen, mein Lieb-chen, was willst du noch mehr? Und hast die schön-sten Au-gen, mein Lieb-chen, was willst du noch mehr?

2. Auf deine schönen Augen
   Hab ich ein ganzes Heer
:‖: von ewigen Liedern gedichtet,
   Mein Liebchen, was willst du noch mehr? :‖:

3. Mit deinen schönen Augen
   hast du mich gequält so sehr,
:‖: und hast mich zugrunde gerichtet,
   Mein Liebchen, was willst du noch mehr? :‖:

4. Die Liebe macht glücklich, macht selig,
   Die Liebe macht arm, sie macht reich,
:‖: Die Liebe macht Bettler zum König,
   Die Liebe macht alles gleich. :‖:

5. Ich suche nicht Reichtum, nicht Perlen,
   nicht Gold und nicht Edelstein;
:‖: Ich suche ein Herz voll der Liebe,
   Das find' ich bei dir nur allein. :‖:

Die edle Kneiperei

Wer frisch und ge-sund will le-ben, der muss fol-gen dem Pfarr-er Kneip. Muss dem Wasser sich er- geb-en, nicht ver-weichen sei -nen Leib. Früh-auf-stehn, bar-fuss-gehn, Wie-se-laufen, herz-haft Schnaufen, Unt-er-guss, Ob-er-guss! Husch-husch-husch, husch-husch-husch! Da-bei komm das Blut in Fluss. Drum hoch die ed-le Kneip-er-ei Ist doch kein Tröpflein Bier da-bei! Drum hoch die ed-le Kneiper-ei, ei, ei! Die ed-le Kneip-er--ei, ei, ei !

Text preserved by Balthasar L. Heit

Notation by Lambert Laturnus
and Prof. Samuel Hicks

1. Wer frisch und gesund will leben,
   Der muss folgen dem Pfarrer Kneip.
   Muss dem Wasser sich ergeben,
   Nicht verweichen seinen Leib.

Refrain:

> Früh aufstehn, bar-fuss gehn,
> Wiese-laufen, herzhaft schnaufen;
> Unterguss, oberguss,
> Husch, husch, husch, husch, husch, husch!
> Dabei kommt das Blut in Fluss.
> Drum hoch die edle Kneiperei!
> Ist auch kein Tröpflein Bier dabei.
> Drum hoch die edle Kneiperei! Ei, ei!
> Die edle Kneiperei, ei, ei!

2. Wie sie froh und mit allen Kräften
   Nach der Kneip frühmorgens gehn,
   Und dabei die grössten Schmerzen
   Gleich wieder ganz vergehn.   Refrain.

Sebastian Kneipp

Sebastian Kneipp (1821-1897), parish priest of Wörishofen,
was one of the first protagonists of cold water treatment
for various ailments. A hydrotherapy sanatorium was established
in the colony of Grossliebental by Sonderegger and Utz in 1843.
A similat institute was established in Lustdorf on the shore
of the Black Sea.

Als Gott der Herr die Welt gemacht

1. Als Gott der Herr die Welt gemacht, da war sie wundernett. Frau Ev-a hat noch nicht gedacht an Röckchen und Korsett. Und als Gott während Ad-am schlief aus sei-ner Ripp sie schuf und er ihr sah ins Au-ge tief und ausbrach in den Ruf: Sehn Sie, das ist ein Geschäft, das bringt noch was ein. Sie spar=ten all ihr Kleider-geld und war-en den-noch fein

Notation by Lambert Laturnus
and Prof. Samuel Hicks

Text preserved by Balthasar L. Heit

1. Als Gott der Herr die Welt gemacht,
   da war sie wundernett.
   Frau Eva hat noch nichts gedacht
   an Röckchen und Korsett.
   Und als Gott während Adam schlief
   aus seiner Ripp' sie schuf,
   und er ihr sah ins Auge tief
   und ausbrach in den Ruf:
   :|: Sehn Sie, das ist ein Geschäft..... :|:

2. Frau Eva schaut den Adam an
   Ganz ohne Zierei;
   Und jubelte: "Mein lieber Mann,
   Jetzt sind wir uns'rer zwei."
   So lebten sie im Paradies so schön,
   Er konnte ohne Paletot, sie ohne Robe geh'n
   :l: Sehen sie, das ist ein Geschäft,
      Das bring noch was ein.
      Sie sparten alles Kleidergeld
      Und waren dennoch fein. :l:

3. Aber die Freud' im Paradies,
   Die währt nur kurze Zeit.
   Als Eva in den Apfel biss,
   Begann das Kleider-Leid.
   Und hat bis auf den heutigen Tag
   Sich fortgepflanzt so sehr,
   Und macht den Männern nur Kummer und Plag'
   Und ihren Geldsack leer.
   :l: Seh'n Sie, das ist kein Geschäft,
      Das bringt nichts mehr ein.
      Der Mann muss blechen fort und fort
      Für Firelfanzerei.
      Seh'n Sie, das ist kein Geschäft,
      Das bringt nichts mehr ein
      Und weh dem Mann, der sich beklagt,
      Dem wird das Haus zu klein. :l:

Mein Mopserl

Text preserved by Balthasar L. Heit

1. Ich hab zu Haus ein klei-ner Hund, der macht mir

oft viel Freud. Mit ihm verweil ich man-che Stund in

meiner freien Zeit. Er ist so kniffig und galant, so

schneidig el-e-gant. Er rapportiert und wartet auf

REFRAIN

sonst noch aller Hand. Mein Mops-erl mein Mops-

erl ist das ein liebes Vieh; so kniffig, so

pfiffig, ein wirkliches Gen-ie! so zierlich, manierlich,

was der nicht alles kennt! Mein Mops- erl

mein Mops--erl ist sehr in-tell-i-gent!

Notation by Lambert Laturnus
and Prof. Samuel Hicks

2. Geht er mal auf die Strass hinaus,
   So ohne Maulkorb um,
   Und sieht da einen Schutzmann steh'n,
   So dreht er sich gleich um.
   Dann zieht er gleich sein Schwänzchen ein
   Und laufet wie ein Aff.
   Er weiss gewiss, es darf nicht sein,
   Und kostet drei Mark Straf. :i: Mein Mopserl ..

3. Sieht er 'ne junge Dame steh'n,
   So lauft er, was er kann,
   Lässt alles gern mit sich gescheh'n
   Und leckt ihr zart die Hand.
   Sieht er 'ne alte Dame dann
   Mit runzlichem Gesicht,
   Da fängt er gleich zu knurren an,
   Die Alte mag er nicht. :i: Mein Mopserl.. .

4. Steig ich mal ins Coupé hinein,
   So auf der Eisenbahn,
   Da kommt mein Mopserl hinterdrein
   So schnell er es nur kann.
   Und wenn dann der Herr Schaffner spricht:
   "Billete, meine Herrn!"
   Dann duckt er sich und rührt sich nicht,
   Er weiss, ich zahl nicht gern. :i: Mein Mopserl ..

5. Und wenn ich einst gestorben bin,
   So viel weiss ich schon jetzt,
   Dass er mit seinen Tränen mir
   Aufs Grab ein ein Denkmal setzt.
   Damit einer jeder sehen kann
   Und gleich mit Rührung spricht:
   "Das hat sein braver Mops getan
   Als ein Vergissmeinnicht!" :i: Mein Mopserl ..

Und wer's nicht glauben will, geh selber hin !

Text preserved by Balthasar Heit

1. Willst all-weil Gemserl schies-sen, bist noch gar
zu klein, willst ein Gemsbock ja-gen, willst ein Jä-ger sein.
Doch wenn der Förster kommt, da bist du an-ge-schmiert.
Er nimmt dir's Gem-serl weg ganz un-gen-iert. Drum lebe
wohl, du wun-der-schön-es Gems-ge- birg, weil schies-sen
Üb-er all auf Berg und Wiesental, Drum le-be wohl du
wun-der-schönes Gems-ge-birg, weil Schiessen Üb-er-all

Notation by Lambert Laturnus
and Prof. Samuel Hicks

ver-bo-ten ist.

CHAMOIS

Der Gemsbock-Jäger

1. Willst allweil 's Gemserl schiessen,
   Bist noch gar zu klein,
   Willst ein Gemsbock jagen,
   Willst ein Jäger sein.
   Doch wenn der Förster kommt,
   Da bist du angeschmiert,
   Er nimmt dir 's Gemserl weg,
   Ganz ungeniert.
   :|: Drum lebet wohl, du wunderschönes Gemsgebirg,
   Weil Schiessen überall auf Berg und Wiesental :|:
   Verboten ist.

2. Heut ist grad schön Wetter
   Für auf die Gemsjagd zu geh'n.
   Da sehe ich von weitem schon
   Ein'n schönen Gemsbock steh'n.
   Da lass ich niederfall'n
   Und lass mein'n Stutzer knall'n,
   Da seh ich von weitem schon,
   Herrgott, er ist g'fall'n.   Drum lebet wohl...

3. Ich hab das Gemserl g'schossen,
   's hat mich nicht gereut,
   's hat mich nicht verdrossen,
   's gab mir Jägerfreud.
   Die holde Sennerin
   Vor ihrer Hüttentür,
   Sie schickt ein Jauchzgeschrei
   Bis her zu mir.   Drum lebet wohl ....

Gemse, f. chamois, mountain antelope
Stuzter, m. carbine
Sennerin, f. Alpine milkmaid
Jauchzgeschrei, n. cry of exultation

Ich bin der Doktor Eisenbart

um 1803

1. Ich bin der Doktor Ei-sen-bart, wi-de-wi-de-wid bum bum. Ku-rier die Leut nach mei-ner Art, wi-de-wi-de-wid bum bum. Kann ma-chen, daß die Blin-den gehn, wi-de-wi-de-wid juch- -hei-ras-sa, und daß die Lah-men wie-der sehn, wi-de-wi-de-wid bum bum.

2. Zu Potsdam trepanierte ich, ...
den Koch des Großen Friederich, ...
Ich schlug ihm mit dem Beil vor'n Kopf, ...
gestorben ist der arme Tropf, ...

3. Zu Ulm kuriert ich einen Mann, ...
daß ihm das Blut vom Beine rann, ...
Er wollte gern gekuhpockt sein, ...
ich impft's ihm mit dem Bratspieß ein, ..

4. Des Küsters Sohn zu Dideldum, ...
dem gab ich zehn Pfund Opium, ...
Drauf schlief er Jahre, Tag und Nacht, ...
und ist bis heut noch nicht erwacht, ...

5. Zu Wien kuriert ich einen Mann, ...
der hatte einen hohlen Zahn, ...
Ich schoß ihn raus mit der Pistol, ...
ach Gott, wie ist dem Mann so wohl, ...

6. Zu Prag, da nahm ich einem Weib, ...
zehn Fuder Steine aus dem Leib, ...
Der letzte war ihr Leichenstein, ...
Sie wird jetzt wohl kurieret sein, ...

7. Das ist die Art, wie ich kurier, ...
sie ist probat, ich bürg dafür, ...
Daß jedes Mittel Wirkung tut, ...
schwör ich bei meinem Doktorhut, ...

Und wer's nicht glauben will, geh' selber hin!

Bier her !

Studentenlied, 1855

1. Bier her! Bier her! o - der ich fall um, juch-he!

Bier her! Bier her! o - der ich fall um!

Soll das Bier im Kel - ler lie - gen, und ich hier die Ohn-macht

krie - gen? Bier her! Bier her! o - der ich fall um!

2. Bier her! Bier her! oder ich fall um, juchhe!
Bier her! Bier her! oder ich fall um!
Wenn ich nicht gleich Bier bekumm,
schmeiß ich die ganze Kneipe um!
Drum: Bier her! Bier her! oder ich fall um!

Where they sing, join the throng,

Evil people sing no songs.

Grad aus dem Wirtshaus

Heinrich von Mühler, um 1835

1. Grad aus dem Wirts-haus nun komm ich her-aus:

Stra-ße, wie vun-der-lich siehst du mir aus,

rech-ter Hand, lin-ker Hand, bei-des ver-tauscht:

Stra-ße, ich merk es wohl, du bist be-rauscht!

1. Grad aus dem Wirtshaus komm ich heraus,
 Strasse, wie wunderlich siehst du mir aus!
 Rechter Hand, linker Hand, beides vertauscht;
 Strasse, ich merk es wohl, du bist beraucht!

2. Was für ein schief Gesicht, Mond, machst denn du?
 Ein Auge hat er auf, eins hat er zu;
 Du wirst wohl betrunken sein, das seh ich hell;
 Schäme dich, schäme dich, alter Gesell!

3. Und die Laternen erst--was muss ich sehen!
 Die können alle nicht grade mehr stehen;
 Wackeln und fackeln die Kreuz und die Quer,
 Scheinen betrunken allesamt schwer.

4. Alles im Sturme rings, Grosses und Klein;
 Wag ich darunter mich nüchtern allein?
 Das scheint bedenklich mir, ein Wagestück;
 Da geh ich lieber ins Wirtshaus zurück.

Ein Prosit der Gemütlichkeit

Ein Pro - sit, ein Pro - sit der Ge - müt - lich -
keit, ein Pro - sit, ein Pro -
- sit der Ge - müt - - lich - - keit!

Hoch soll er leben

Hoch soll er le - ben, hoch soll er le - ben, drei - mal
hoch! Hoch soll er le - ben, hoch soll er
le - ben, drei - mal hoch! Er le - be
hoch, er le - be hoch, er le - be
drei - mal hoch!

Ade zur guten Nacht

Volkslied, 1847

2. Es trauern Berg und Tal,
   wo ich viel tausendmal
   bin drüber gangen;
   |: das hat deine Schönheit g'macht,
   hat mich zum Lieben bracht
   mit großem Verlangen. :|

3. Das Brünnlein rinnt und rauscht
   wohl unterm Holderstrauch,
   wo wir gesessen.
   |: Wie manchen Glockenschlag,
   da Herz bei Herzen lag,
   hast du vergessen! :|

4. Die Mädchen in der Welt
   sind falscher als das Geld
   mit ihrem Lieben.
   |: Ade zur guten Nacht,
   jetzt wird der Schluß gemacht,
   daß ich muß scheiden :|

Grosser Gott, wir loben Dich

Gro - ßer Gott, — wir lo - ben dich;
Vor dir neigt — die Er - de sich

Herr, wir prei - sen dei - ne Stär-ke.
und be - wun - dert dei - ne Wer-ke.

Wie du warst vor al - ler Zeit, —

so — bleibst du — in E - wig - keit.

Alles, was dich preisen kann,
Cherubim und Seraphinen
stimmen dir ein Loblied an;
alle Engel, die dir dienen,
rufen dir stets ohne Ruh:
„Heilig, heilig, heilig!" zu.

Initial words of songs - - Liedanfänge

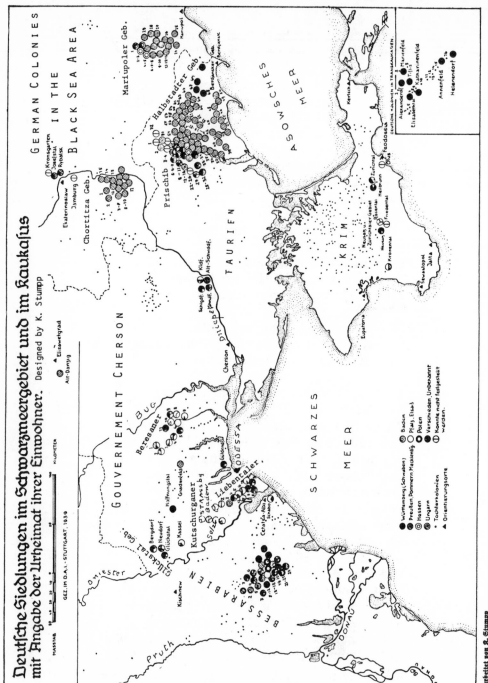